Grandes tí

Cantar de Mío Cid

Anónimo

Adaptación de Carlos Romero Dueñas

Nivel
B1

edelsa
GRUPO DIDASCALIA, S.A.

Director de la colección:
Alfredo González Hermoso.

Adaptador de *Cantar de Mío Cid*: Carlos Romero Dueñas.

La versión adaptada sigue la edición del *Poema de Mío Cid*, anónimo,
editorial Castalia, S.A., Madrid, 1984.
La versión original doble: castellano antiguo, editorial Castalia, S.A., 1984;
edición modernizada, editorial Castalia, S.A., 1967 (Colección Odres
Nuevos).

1.ª edición: 2015.
4.ª impresión: 2021.
© Edelsa Grupo Didascalia, S.A. Madrid, 2015.
Dirección y coordinación editorial: Departamento de Edición de Edelsa.
Diseño de cubierta: Departamento de Imagen de Edelsa.
Diseño y maquetación interior: Estudio Grafimarque, S.L.

ISBN: 978-84-9081-709-4
Depósito legal: M-715-2015

Impreso en España/*Printed in Spain*

Notas

ÍNDICE

Rodrigo Díaz de Vivar
VIDA

1048 Nace en Vivar. Actualmente, se llama Vivar del Cid y está a diez kilómetros de Burgos (Comunidad de Castilla y León).

1058
1065 En 1058 muere su padre (Diego Laínez) y es educado junto a Sancho, hijo del rey Fernando I. Cuando Sancho es rey, lo nombra alférez real en 1065.

1072
1074 En 1072 muere Sancho II. Su hermano Alfonso VI se convierte en rey. En 1074 se casa con la sobrina del rey, doña Jimena. Tienen tres hijos: Diego, Cristina y María.

1081
1084 En 1081 va a Toledo y pone en peligro la conquista de esta ciudad a los árabes. El rey lo destierra. Rodrigo se pone al servicio del rey árabe de Zaragoza. Durante este período consigue grandes victorias y recibe el nombre de Cid.

1086
1094 Alfonso VI lo perdona y lo envía a la costa del Mediterráneo, donde gana importantes batallas en los reinos árabes. Conquista la ciudad de Valencia, su mayor éxito.

1099 Muere en Valencia, donde lo entierran. Más tarde lo llevan al monasterio de Cardeña. Doña Jimena defiende la ciudad hasta 1102, cuando vuelve a caer en manos de los árabes. Desde 1921 está enterrado con doña Jimena en la catedral de Burgos.

Cantar primero
Cantar del destierro

Rodrigo Díaz, el Cid, salía de Vivar[1] sobre su caballo y al volver la cabeza para mirar su casa y sus tierras[2] lloraba diciendo:

—¡Oh, Señor, esto me han hecho mis enemigos[3]!

Junto a él iban cerca de sesenta hombres y entre ellos su gran amigo Minaya Alvar Fáñez[4]. Movió los hombros y la cabeza y le dijo:

—¡Alvar Fáñez, nos han echado de nuestra tierra, pero pronto vamos a volver con mucha más honra[5]!

Al entrar en Burgos[6] muchas mujeres y hombres salían a la calle o sacaban las cabezas por las ventanas para verlo. Todos lloraban de dolor[7] y decían:

—¡Qué buen vasallo[8], pero no tiene buen señor! 1.

---

1 Vivar: pueblo de la provincia de Burgos (Comunidad de Castilla y León). Actualmente se llama Vivar del Cid.
2 tierras: aquí, lugar donde ha nacido una persona.
3 enemigo: contrario. Persona que desea el mal de otra.
4 Minaya Alvar Fáñez: 1047-1114. Capitán de Alfonso VI en la conquista de la península Ibérica a los árabes. En la realidad era un familiar del Cid.
5 honra: buena opinión y fama conseguida por las buenas acciones.
6 Burgos: ciudad al norte de España (Comunidad de Castilla y León).
7 dolor: aquí, tristeza.
8 vasallo: persona que depende de o sirve a un superior, a un señor.

1.

De los sos oios tan fuerte mientre lorando
 Los ojos de Mío Cid mucho llanto van llorando;
Tornaua la cabeça e estaua los catando:
 hacia atrás vuelve la vista y se quedaba mirándolos.
Vio puertas abiertas e vços sin cannados,
 Vio como estaban las puertas abiertas y sin candados,
Alcandaras uazias sin pielles e sin mantos,
 vacías quedan las perchas ni con pieles ni con mantos,
E sin falcones e sin adtores mudados.
 sin halcones de cazar y sin azores mudados.
Sospiro Myo Çid ca mucho auie grandes cuydados.
 Suspiró entonces el Cid, que eran grandes sus cuidados.
Fablo Myo Çid bien e tan mesurado:
 Y habló, como siempre habla, tan justo tan mesurado:
Grado a ti Sennor Padre que estas en alto,
 «¡Bendito seas, Dios mío, Padre que estás en lo alto!
Esto me an buelto myos enemigos malos.
 Contra mí tramaron esto mis enemigos malvados».
Alli pienssan de aguiiar, alli sueltan las riendas:
 Ya aguijan a los caballos, ya les soltaron las riendas.
A la exida de Biuar ouieron la corneia diestra,
 Cuando salen de Vivar ven la corneja a la diestra,
E entrando a Burgos ouieron la siniestra.
 pero al ir a entrar en Burgos la llevaban a su izquierda.
Meçio Myo Çid los ombros e engrameo la tiesta:
 Movió Mío Cid los hombros y sacudió la cabeza:
Albricia Albar Fanez ca echados somos de tierra.
 «¡Ánimo, Álvar Fáñez, ánimo, de nuestra tierra nos echan!».
Myo Çid Ruy Diaz por Burgos entraua.
 Ya por la ciudad de Burgos el Cid Ruy Díaz entró.
En su conpanna LX pendones leuaua: exien lo ver mugieres e uarones.
 Sesenta pendones lleva detrás el Campeador.
 Todos salían a verle, niño, mujer y varón,
Burgeses e burgesas por las finiestras son puestos.
 a las ventanas de Burgos mucha gente se asomó.

> Plorando de los oios, tanto auyen el dolor.
>> ¡Cuántos ojos que lloraban de grande que era el dolor!
> De las sus bocas todos dizian una razon:
>> Y de los labios de todos sale la misma razón:
> Dios, que buen vassalo si ouiesse buen sennor!
>> «¡Qué buen vasallo seria sí tuviese buen señor!».

No podían invitarlo a entrar en sus casas porque el rey don Alfonso lo prohibía. Si alguien daba posada[9] al Cid, podía perder los ojos.

Por eso todos se escondían[10], estaban tristes y ninguno le hablaba. El Cid Campeador[11] quiso entrar en una casa para pedir habitación, pero no le abrían porque tenían miedo del rey. Los hombres del Cid llamaban pero los que estaban dentro no contestaban. Entonces se acercaron a la puerta y llamaron a golpes[12]. Una niña de nueve años les dijo:

—¡Campeador que en buena hora ceñiste[13] la espada[14]! El rey envió[15] anoche una carta. En ella decía que no podíamos abrirte las puertas, porque podíamos perder[16] nuestras casas y también nuestras vidas. Cid, con

---

9 posada: hotel y restaurante de la época.
10 esconderse: ocultarse o ponerse en un lugar donde es difícil encontrar a alguien.
11 campeador: soldado que destaca en la batalla por sus acciones. Aquí, el Cid.
12 golpe: impacto (aquí, en la puerta) con las manos o con otra cosa.
13 ceñir: ponerse algo en la cintura.
14 espada: arma larga de metal que corta.
15 enviar: mandar algo o a alguien a un lugar.
16 perder: no tener ya una cosa.

nuestro mal tú no ganas[17] nada. Sigue tu camino, que Dios te va a ayudar.

Esto dijo la niña y volvió a entrar en su casa. Entonces vio el Cid que debía irse de Burgos y antes de salir de la ciudad entró en una iglesia[18] a decir una oración[19]. Después se quedó a dormir con sus hombres al lado de un río porque nadie quiso dejarles su casa ni venderles comida. El rey también ha prohibido venderles nada.

Más tarde vino Martín Antolínez[20] a llevarles pan y vino al Cid y a los suyos[21] y dijo:

—Mío Cid, que naciste en buena hora[22], descansemos esta noche que mañana me voy con vosotros, porque van a decir que os he dado comida y por eso voy a ganarme la ira[23] del rey don Alfonso. Pero sé que un día nos va a querer como amigos.

Habló entonces Mío Cid, que en buena hora ciñó espada:

—¡Martín Antolínez, eres un gran soldado! Ahora no puedo darte nada por tu ayuda porque no tengo ni oro ni plata, pero espero pagarte tu trabajo y el de todos

---

17 ganar: lo contrario de perder. Conseguir. Tener algo.
18 iglesia: edificio religioso.
19 oración: acción de hablar con Dios, con la Virgen o con los santos.
20 Martín Antolínez: personaje inventado, no existió realmente.
21 los suyos: aquí, los amigos y familiares del Cid.
22 nacer en buena hora: nacer con suerte. En el *Cantar de Mío Cid* se usa para expresar también la alegría de tener al Cid entre ellos.
23 ira: enfado muy grande, odio.

mis hombres si tú me ayudas. No me gusta lo que voy a decirte, pero necesitamos dinero. Vamos a tomar dos arcas[24] con clavos[25] dorados[26] y las vamos a llenar de arena[27]. Después vas a ir a ver a los judíos[28] Raquel y Vidas y les vas a decir que no quiero llevarme las arcas fuera de mi tierra porque son muy pesadas y que se las quiero empeñar[29] por algo de dinero.

Martín Antolínez estuvo de acuerdo y fue a Burgos a buscarlos.

* * *

Al llegar a Burgos, preguntó por los judíos. Los encontró juntos contando su dinero y les dijo:

—Queridos amigos Raquel y Vidas, quiero hablar con vosotros.

Se fueron los tres a un sitio más tranquilo y Martín Antolínez continuó diciendo:

—Sé una manera de haceros muy ricos a los dos, pero no debéis decírselo a nadie. Escuchad. El Cid fue por cosas muy buenas y caras para el rey y se quedó con las mejores, por eso le acusaron[30] y lo han echado de

---

24 arca: caja grande que se puede cerrar con llave.
25 clavo: objeto pequeño y alargado de metal. Tiene una pequeña cabeza y acaba en punta.
26 dorado: de color de oro o parecido.
27 arena: tierra o polvo fino que puede haber en una playa, por ejemplo.
28 judío: persona de religión judía; también llamado hebreo o israelita.
29 empeñar: aquí, dar o dejar a alguien una cosa a cambio de otra prestada.
30 acusar: decir que alguien ha hecho algo malo.

Castilla[31]. Ahora tiene dos arcas llenas de oro, pero no se las puede llevar porque pesan mucho. Él os las quiere dejar a vosotros, pero a cambio quiere por ellas algo de dinero. Pero no podéis abrirlas durante un año.

Raquel y Vidas pensaron un momento y después dijeron:

—Nos interesa ganar dinero y sabemos que el Cid tiene mucho oro[32] del rey. Trae las arcas para llevarlas a un lugar seguro. Pero dinos: ¿cuánto quiere el Cid por sus arcas durante este año?

—No quiere mucho, solo seiscientos marcos[33] —respondió Martín Antolínez—. Necesita el dinero para él y para todos sus hombres.

Raquel y Vidas dijeron:

—Muy bien. Se lo vamos a dar de grado[34].

—Entonces dadme el dinero ahora, porque ya casi es de noche y el Cid tiene mucha prisa —respondió Martín Antolínez.

—No se hacen así las cosas —dijeron los judíos—. Primero trae las arcas y después te lo damos.

---

31 Castilla: en aquella época era el reino más importante de la península Ibérica. Actualmente se divide en dos comunidades autónomas: Castilla y León y Castilla-La Mancha.

32 oro: metal muy valioso de color amarillo.

33 marco: aquí, moneda de la época.

34 de grado: con gusto, felizmente.

—De acuerdo —contestó Martín Antolínez—. Venid conmigo a ver al Campeador. Después os podemos ayudar a traer las arcas hasta un lugar seguro.

Cabalgaron[35] deprisa los tres y llegaron ante el Cid. Este sonrió y les dijo:

—Raquel, Vidas, ¿ya no os acordabais de mí? Ya sabéis que me voy de esta tierra porque el rey me ha echado y he pensado dejaros parte de mis riquezas[36].

Los judíos besaron las manos[37] del Cid. Y así Martín Antolínez acordó el negocio: por las arcas dieron seiscientos marcos y a cambio las tenían que guardar durante un año. Después les dijo:

—Tomad las arcas y vamos deprisa porque el Cid tiene que salir de esta tierra mañana. Yo voy con vosotros y en vuestra casa me dais los marcos.

Cuando tomaron las arcas, Raquel y Vidas se pusieron muy contentos porque vieron que eran muy pesadas y pensaron que eran ricos para siempre con tanto dinero. Se despidieron del Cid y se fueron. Martín Antolínez fue con ellos hasta su casa y allí le dieron los seiscientos marcos en monedas de oro y plata[38].

---

35 cabalgar: ir sobre el caballo.

36 riqueza: dinero y objetos de valor.

37 besar las manos (o los pies): gesto o señal de la época que indica que alguien estaba al servicio de esa persona.

38 plata: metal de color blanco brillante, de menor valor que el oro.

Volvió Martín Antolínez junto al Cid y este lo recibió con los brazos abiertos[39]:

—Por fin has llegado, Martín Antolínez, el mejor de mis vasallos —dijo el Cid—. Algún día quiero pagarte bien esto que has hecho por mí.

—Aquí traigo, mi Cid, los seiscientos marcos —respondió— y ahora vamos rápido, porque hay que ir a ver a doña Jimena, tu mujer, y a tus dos hijas[40]. Después tenemos que salir de esta tierra porque termina el plazo[41] para dejarla. Yo me quedo en Burgos para despedirme de mi familia y mañana me uno a vosotros.

El Cid dijo adiós a Martín Antolínez y se fue con el resto de sus hombres a San Pedro de Cardeña[42], donde estaba su mujer.

* * *

Al llegar al monasterio[43], el abad[44] les recibió con gran alegría. El Cid le pidió comida para él y sus vasallos y le dio cincuenta marcos. También le dio dinero para cuidar a su esposa y a sus hijas porque él iba a es-

---

39 recibir con los brazos abiertos: recibir a alguien con alegría.
40 doña Jimena y sus dos hijas: Jimena Díaz fue esposa del Cid en la realidad. En el *Cantar de Mío Cid* tuvieron dos hijas (doña Elvira y doña Sol), pero en realidad tuvieron tres (Cristina, Diego y María).
41 plazo: período de tiempo señalado para hacer algo.
42 San Pedro de Cardeña: fue uno de los monasterios de la orden de San Benito más importantes de la época.
43 monasterio: edificio religioso donde viven monjes.
44 abad: superior de un monasterio.

tar lejos mucho tiempo. Después doña Jimena y sus dos hijas, doña Elvira y doña Sol, que eran muy pequeñas, salieron a verle. Doña Jimena empezó a llorar.

Entonces el Cid, el de la barba crecida[45], tomó en brazos a sus hijas y se las acercó al corazón. Con lágrimas en los ojos le dijo a su mujer:

—Escúchame, doña Jimena, te quiero con toda mi alma[46]. Tengo que irme, pide a nuestro Señor por mi vida. Y si él quiere, algún día vamos a casar muy bien a nuestras hijas.

2.

2. Doble versión original del texto anterior

Enclino las manos el de la barba velida,
   Las dos manos inclinó el de la barba crecida,
a las sus fijas en braço las prendia,
   a sus dos niñitas coge, en sus brazos las subía,
legolas al coraçon ca mucho las queria.
   al corazón se las llega, de tanto que las quería.
Lora de los ojos, tan fuerte mientre sospira:
   Llanto le asoma a los ojos y muy fuerte que suspira.
«¡Ya doña Ximena la mi mugier tan complida,
   «Es verdad, doña Jimena, esposa honrada y bendita,
commo a la mi alma yo tanto vos queria!
   tanto cariño os tengo como tengo al alma mía.
Ya lo vedes que partir nos emos en vida,
   Tenemos que separarnos, ya lo veis, los dos en vida;
yo ire e vos fincaredes remanida.
   a vos os toca quedaros, a mi me toca la ida.

---

45 barba crecida: barba con mucho pelo, muy larga. En la Edad Media era símbolo de hombre sabio y honrado.
46 con toda mi alma: expresión que significa *mucho*.

¡Plega a Dios e a Santa Maria

¡Quiera Dios y con Él quiera la Santa Virgen María

que aun con mis manos case estas mis fijas,

que con estas manos pueda aún casar nuestras hijas

o que de ventura e algunos dias vida

y que me quede ventura y algunos días de vida

e vos, mugier ondrada, de mi seades servida!».

para poderos servir, mujer honrada y bendita!».

Prepararon grandes comidas para el buen Campeador. Se oían las campanas en San Pedro. Mientras tanto, por toda Castilla se decía que al Cid Campeador lo echaban de la tierra y muchos hombres preguntaban dónde estaba para irse con él. Cerca de Burgos se juntaron ciento quince caballeros[47] y Martín Antolínez fue con ellos para llevarlos junto al Cid. Cuando llegaron a San Pedro de Cardeña, este salió en su caballo a recibirlos y les dijo:

—Gracias por venir conmigo dejando vuestras casas y vuestras tierras. Ruego[48] a Dios poder pagaros todo lo que hacéis por mí.

Solo quedaban tres días del plazo dado por el rey para dejar las tierras, entonces el Cid juntó a todos sus caballeros y les dijo:

---

47 caballero: en la época, soldado que iba a caballo.
48 rogar: pedir algo a alguien con mucho deseo e interés.

—Oíd, caballeros. Mañana a primera hora nos vamos, después de la misa[49]. El plazo termina y tenemos que andar mucho.

Lo hicieron como él dijo y, al salir de la iglesia, doña Jimena lloró otra vez viendo cómo su marido la dejaba sola con sus hijas. Rogó al Señor por su Cid Campeador y por volver a verlo pronto.

Mientras el Cid esperaba a sus soldados, miraba a su familia con gran tristeza y Minaya Alvar Fáñez le dijo:

—Cid, sé fuerte, algún día estas penas van a ser alegrías. Dios nos va a ayudar.

Se pusieron todos en camino y poco a poco se iban uniendo a ellos gentes de todas partes.

* * *

Aquella noche, mientras dormía, el Cid tuvo un sueño. Se le apareció el ángel Gabriel[50] y le dijo:

—Cabalga, Cid, cabalga, eres un buen campeador. Todo te va a ir muy bien en la vida.

---

49 misa: en la religión católica, ceremonia religiosa que se hace en una iglesia o edificio religioso.
50 ángel Gabriel: enviado de Dios que aparecía en los cantares de gesta para avisar del futuro.

A la mañana siguiente se alegró de su sueño, dio gracias a Dios y reunió a todos sus soldados. Los contó y vio que había más de trescientos. Entonces les dijo:

—Hoy es el último día del plazo y vamos a cabalgar muy deprisa para dejar la tierra del rey Alfonso. Vamos a pasar la noche sin dormir, porque quiero llegar a tierra de moros[51] y conquistar[52] algunas ciudades. Con Minaya vais a ir doscientos caballeros. Llegad hasta Alcalá[53] y conseguid muchas ganancias[54] de los moros. El resto vais a venir conmigo a Castejón de Henares[55].

Por la noche llegaron a Castejón y el Cid mandó a sus hombres cercar[56] la ciudad y esperar a la mañana siguiente para atacarla.

Al salir el sol, las gentes de Castejón se levantaron y abrieron las puertas de la ciudad para ir a trabajar al campo. Entonces el Cid Campeador entró con la espada en la mano y mató a quince moros de una vez. Sus soldados entraron junto a él y en un momento ganaron Castejón y se quedaron con todo el oro y la plata de la ciudad.

3.

---

51 moro: árabe. Los árabes estuvieron en la península Ibérica desde 711 hasta 1492, año en que los Reyes Católicos tomaron Granada (último reino árabe).
52 conquistar: aquí, ganar alguna ciudad o teritorio luchando.
53 Alcalá: actualmente Alcalá de Henares (pueblo de la Comunidad de Madrid).
54 ganancias: dinero y objetos de valor.
55 Castejón de Henares: pueblo en la provincia de Guadalajara (Comunidad de Castilla-La Mancha).
56 cercar: aquí, rodear una ciudad para aislarla y después atacarla.

3.

En Casteion todos se leuantauan;
Las gentes de Castejón ya todas se levantaban,
Abren las puertas, de fuera salto dauan
las puertas de la ciudad abren y afuera se marchan,
Por ver sus lauores e todas sus heredades.
camino de sus trabajos, de las tierras que labraban.
Todos son exidos, las puertas dexadas an abiertas,
Todos se van y las puertas abiertas se las dejaban.
Con pocas de gentes que en Casteion fincaron.
Es muy poca aquella gente que en Castejón se quedara
Las yentes de fuera todas son deramadas.
y la que está por los campos anda muy desparramada.
El Campeador salio de la çelada: corrie a Casteion sin falla.
Sale el Cid del escondite que le sirve de emboscada,
sin tropiezo a Castejón entero la vuelta daba.
Moros e moras auien los de ganançia,
Moros y moras que encuentra a todos los apresaba
E essos gannados quantos en derredor andan.
y a los ganados aquellos que por el contorno andan.
Myo Çid don Rodrigo a la puerta adelinnaua.
Mío Cid Campeador hacia la puerta cabalga:
Los que la tienen quando vieron la rebata,
cuando se ven asaltados los hombres que la guardaban,
Ouieron miedo e fue desenparada.
mucho miedo que tuvieron, déjanla desamparada.
Myo Çid Ruy Diaz por las puertas entraua.
En mano tenie desnuda el espada.
De la ciudad por las puertas ya el Campeador se entraba.
Quinze moros mataua de los que alcançaua.
y a quince mató, de moros que a su paso se encontrara.
Ganno a Casteion e el oro e la plata.
A Castejón ha ganado con todo el oro y la plata.

Poco tiempo después llegaron los soldados que iban con Minaya y también volvieron con grandes ganancias: ovejas[57], vacas[58], trajes y otras riquezas. El Cid salió a recibirlos con los brazos abiertos y le dijo a Minaya:

—¡Valiente amigo! De todo lo ganado entre lo tuyo y lo mío, la quinta parte es para ti.

—Te lo agradezco[59] mucho, Cid —respondió Minaya Alvar Fáñez—, pero creo que esta quinta parte tienes que enviársela al rey Alfonso, así quizá te va a perdonar.

El Cid mandó repartir[60] todas las ganancias y dio cien marcos a cada uno de sus caballeros. Después pensó irse inmediatamente de allí. Tenía miedo del rey Alfonso porque podía venir con todo su ejército y el Cid no quería pelear contra él.

Se fueron siguiendo el río y al llegar la noche se pararon junto a Alcocer[61], porque el Cid, don Rodrigo, quería ganar ese castillo[62] a los moros. En poco tiempo se supo por todas esas tierras que el Cid Campeador tenía allí su campamento y los moros tenían miedo de salir de sus casas. Allí se quedaron unas quince semanas.

---

57 oveja: animal doméstico que produce leche, carne y lana.
58 vaca: animal doméstico que produce leche y carne.
59 agradecer: dar las gracias.
60 repartir: dar a cada persona una parte de un total de cosas.
61 Alcocer: se refiere a Castejón de las Armas, pueblo en la provincia de Zaragoza (Comunidad de Aragón).
62 castillo: edificio rodeado de murallas, donde vivían los nobles y los reyes.

El Cid vio que Alcocer no se entregaba[63], entonces tuvo una idea: mandó a sus soldados recoger todas las tiendas[64] menos una y después se fueron. Las gentes de Alcocer se alegraron mucho porque el Cid se marchaba. Entonces decidieron atacarlos por detrás para quedarse con todas sus riquezas. Salieron los moros de Alcocer y dejaron abiertas las puertas de la ciudad. Al verlos fuera, el Cid mandó a sus hombres volverse y cabalgar deprisa, diciéndolos:

—¡A por ellos, caballeros! ¡Con la ayuda de Dios, la victoria es nuestra!

En poco más de una hora mataron trescientos moros. Algunos de ellos intentaron volver, pero la batalla siguió a las puertas de la ciudad, hasta que por fin el Cid ganó Alcocer. Pedro Bermúdez llegó con la bandera y la puso en lo más alto. Allí se quedaron durante algún tiempo, viviendo en las casas de los moros. No quisieron matar a los que quedaron vivos, porque así podían ser sus criados.

* * *

Las gentes de los pueblos cerca de Alcocer tenían miedo del Cid. Pensaron que podía hacer lo mismo con ellos y pidieron ayuda al rey Tamín de Valencia. Este envió tres mil moros a luchar contra el Cid. Delante de

---

63 entregarse: aquí, dejar de luchar y poner resistencia.
64 tienda: lugar protegido hecho con palos y tela. para pasar la noche en el campo.

todos ellos iban los reyes Fáriz y Galve, que mandaron a sus soldados cercar la ciudad de Alcocer y cortarles el agua. Los caballeros del Cid querían salir a luchar, pero él no los dejaba porque había muchos enemigos y tenían muy buenas armas[65].

Después de tres semanas, nuestro Cid reunió a los suyos y les dijo:

—Nos han cortado el agua y falta el pan. No podemos irnos por la noche porque nos van a ver. Tenemos que salir a luchar contra ellos, pero son muchos. Decidme, caballeros, ¿qué podemos hacer?

Entonces Minaya respondió:

—Si nos quedamos aquí, vamos a morir de hambre. Nosotros somos seiscientos o tal vez algunos más, así que vamos a luchar en el nombre de Dios.

—Has hablado como a mí me gusta, Minaya —contestó el Cid— eso esperaba de ti.

Por eso, a la mañana siguiente, todos se armaron[66], abrieron las puertas y salieron a pelear. Al verlos, los moros hicieron rápidamente dos filas de batalla y esperaron la llegada de los soldados del Cid. El primero en atacar fue Pedro Bermúdez, que llevaba la bandera del Cam-

---

65 arma: objeto que sirve para atacar o defenderse.
66 armarse: tomar las armas y prepararse para la guerra.

peador. Los demás se pusieron los escudos[67] delante del pecho y le siguieron mientras el Cid gritaba:

—¡A por ellos, caballeros, en el nombre de Dios!

Todos llegaron a la primera fila de moros, donde Pedro Bermúdez puso la bandera. Allí cada uno de los trescientos soldados mató a un moro de un solo golpe y al segundo golpe mataron a otros trescientos. En poco tiempo mataron a más de mil trescientos soldados moros.

A Minaya Alvar Fáñez le mataron el caballo y le rompieron la lanza[68], pero siguió luchando desde el suelo con la espada. Al verlo, el Cid se acercó a un moro que tenía un buen caballo y lo mató con su espada cortándolo por la cintura[69]. Después le llevó el caballo a Minaya y le dijo:

—¡Sube al caballo, Minaya, tú eres mi brazo derecho y no quiero perderte! Hoy necesito más que nunca tu ayuda, porque los moros son muy firmes[70] y es difícil ganarles.

Minaya se subió al caballo con la espada en la mano e iba matando a todos los moros que alcanzaba[71].

---

67 escudo: arma de metal o de madera que sirve para proteger el cuerpo.
68 lanza: arma formada por un palo largo que tiene en el extremo una punta de hierro.
69 cintura: parte del cuerpo de las personas entre el tronco y las piernas.
70 firme: fuerte; aquí, que no se deja dominar o vencer.
71 alcanzar: llegar hasta algo o alguien.

Nuestro Cid Rodrigo Díaz le dio tres grandes golpes al rey Fáriz y lo dejó muy herido[72], el rey, entonces, se fue del campo de batalla. El buen Martín Antolínez también le dio un golpe a Galve, le rompió el yelmo[73] y le hirió[74] en la cabeza. Así ganó el ejército cristiano[75], porque todos los moros huyeron[76] del lugar.

Las gentes de nuestro Cid siguieron a los moros hasta Calatayud[77] y después volvieron a su campamento. Cabalgaba el Cid sobre su buen caballo y llevaba la espada en la mano. Al llegar, tomaron todo lo que los enemigos dejaron: escudos, armas, caballos y otras riquezas. El Campeador estaba muy contento, porque solo murieron quince de sus soldados. Pagó muy bien con oro y plata a todos sus vasallos y después se acercó a Minaya para decirle:

—Escucha, Minaya, eres mi brazo derecho. Puedes tomar toda esta riqueza. Además vas a ir a Castilla para contar la batalla que hoy hemos ganado y para llevarle al rey don Alfonso treinta caballos, todos con sillas y con espadas.

—Lo voy a hacer de grado —respondió Minaya.   4.

---

72 herido: que tiene heridas o daños; aquí por algún golpe, corte, etc.
73 yelmo: parte de la armadura (vestimenta de metal de los soldados de la época) que se pone en la cabeza.
74 herir: hacer daño a alguien.
75 cristiano: de la religión cristiana. Aquí se refiere al ejército del Cid.
76 huir: salir o irse rápidamente de un sitio por miedo.
77 Calatayud: pueblo en la provincia de Zaragoza (Comunidad de Aragón).

4.

Oyd, Mynaya, sodes myo diestro braço:
«Oídme, Alvar Fáñez Minaya, vos que sois mi diestro brazo:
Daquesta riqueza que el Criador nos a dado
de todas esas riquezas que el Creador nos ha dado cuanto
A uuestra guisa prended con uuestra mano.
para vos queráis cogedlo con vuestra mano.
Enbiar uos quiero a Castiella con mandado
Para que se sepa allí, quiero a Castilla mandaros
Desta batalla que auemos arancada,
con nuevas de esta batalla que a moros hemos ganado.
Al rey Alfonsso que me a ayrado.
Al rey don Alfonso, al rey que de Castilla me ha echado
Quierol enbiar en don XXX cauallos,
quiero hacerle donación de treinta buenos caballos,
Todos con siellas e muy bien enfrenados.
cada uno con su silla, todos muy bien enfrenados,
Sennas espadas de los arzones colgadas.
todos con sendas espadas de los arzones colgando».
Dixo Mynaya Albar Fanez: esto fare yo de grado.
Dijo Minaya Álvar Fáñez: «Yo lo haré de muy buen grado».

—También vas a llevar esta bolsa de oro y plata a mi mujer y a mis hijas. Diles que tienen que rezar por mí y si Dios me da más años de vida ellas van a ser damas muy ricas. Y si al volver no estamos aquí, búscanos en tierra de moros. Ya sabes que luchar es nuestra única manera de vivir.

A los pocos días el Cid vendió Alcocer a los moros por tres mil marcos de plata. Con ellos pudo dar más dinero a sus vasallos y los hizo ricos a todos.

Mientras tanto, Alvar Fáñez Minaya y algunos hombres más llegaron ante el rey Alfonso y le presentaron[78] los treinta caballos. Al verlos, el rey sonrió con gran alegría y le dijo:

—¿Quién me da estos caballos, Minaya?

—Nuestro Cid Rodrigo Díaz —respondió Alvar Fáñez—. Venció[79] a dos reyes moros en una gran batalla y tuvo muchas ganancias, señor. Ahora me ha enviado a mí para decirle que le besa las manos y los pies y para darle estos caballos. El Cid espera su perdón.

Entonces el rey le contestó:

—Ha pasado poco tiempo para darle el perdón, solo tres semanas. Pero me alegro de sus victorias contra los moros y de todas sus ganancias. A ti sí te perdono, Minaya, y te devuelvo tu casa y tus tierras. Además, algunos hombres buenos y valientes de mi reino pueden ir contigo, si quieren, para ayudar al Cid.

Minaya Alvar Fáñez le besó las manos al rey y le dijo:

—Muchas gracias, rey, y estoy seguro de que más adelante también va a perdonar al Cid.

---

78 presentar: aquí, poner algo delante de alguien, enseñar.
79 vencer: ganar, dominar.

Pasaron quince semanas desde que Minaya fue a ver al rey. Tardaba[80] mucho en volver, por eso el Cid se fue con todos sus soldados hacia Zaragoza. Al llegar a la ciudad obligó a los moros a pagarles dinero y allí se quedaron varios días hasta que llegó Alvar Fáñez con doscientos hombres más. Todos iban muy bien armados.

Cuando vio el Cid Ruy Díaz a Minaya tomó su caballo y fue corriendo a recibirlo. Lo abrazó y le besó con gran alegría. ¡Qué contento se puso el Cid de barba crecida!

—A Dios doy gracias de corazón. Si tú estás conmigo, sé que todo va a ir bien, Minaya.

* * *

Con todos aquellos soldados, el Cid ganaba cada vez más batallas a los moros y en poco tiempo venció en Huesa[81] y en Montalbán[82]. Las noticias del Cid llegaron a todas las tierras moras y también el conde[83] don Ramón Berenguer[84] de Barcelona supo que el Cid estaba cerca. Aquello no le gustó nada, porque los moros que

---

80 tardar: usar demasiado tiempo en hacer algo.
81 Huesa: actual Huesa del Común, pueblo de la provincia de Zaragoza (Comunidad de Aragón).
82 Montalbán: pueblo en la provincia de Zaragoza (Comunidad de Aragón).
83 conde: noble que en la época era gobernador de una comarca o territorio.
84 Ramón Berenguer: en realidad, Berenguer Ramón II (conde de Barcelona entre 1076 y 1097). Fue acusado de matar a su hermano Ramón Berenguer II ante el rey Alfonso VI. Históricamente, el Cid lo hizo prisionero en dos ocasiones.

vivían junto al reino de Barcelona estaban al servicio[85] del conde. Así que reunió a su ejército de moros y cristianos y salió a luchar contra el Cid.

El Cid Campeador envió un mensaje al conde para decirle que no quería pelear contra él y le pedía ir en paz. Pero el conde de Barcelona envió otro mensaje contestando que esto no podía ser así, porque se sentía deshonrado[86].

Entonces el Cid reunió a los suyos y les dijo:

—Tomad las armas y preparad vuestros caballos porque el conde don Ramón quiere pelear contra nosotros. Tiene un gran ejército de moros y cristianos, pero con solo cien caballeros de los nuestros podemos vencerles, porque con cada golpe que dais vosotros matáis a tres de ellos. Así va a ver Ramón Berenguer quién es el Cid.

Tras una dura batalla, los soldados del Cid vencieron a los francos[87] y tomaron cautivo[88] al conde de Barcelona. Lo llevaron a la tienda del Cid y este le quitó a Ramón Berenguer su gran espada llamada Colada[89] porque valía más de mil marcos de plata. Además tu-

---

85 estar al servicio: ser vasallo de otra persona, es decir, trabajar o hacer cualquier cosa que esta diga.
86 deshonrado: sin honra, sin honor.
87 franco: aquí, catalán (el condado de Cataluña formó parte del reino franco).
88 cautivo: preso, que está en algún sitio por la fuerza, sin libertad.
89 Colada: en la época las espadas de los hombres importantes tenían nombres propios. Colada (de acero *colado* o fundido) perteneció a Berenguer Ramón II. En la Armería Real de Madrid está la que parece ser la original.

vieron grandes ganancias y todos los soldados del Cid comieron y bebieron alegremente después de la victoria.

El Cid fue a llevarle comida al conde, pero este le dijo:

—No voy a comer un solo bocado[90] de vuestro pan; antes prefiero morir.

—Tiene que comer de este pan y beber de este vino mío —respondió el Cid—. Si no lo hace, conde, no le voy a dejar irse de aquí jamás.

—Coma usted, don Rodrigo, y duerma después si quiere, porque yo no pienso comer y voy a dejarme morir.

El conde estuvo sin comer durante tres días y al final el Cid le dijo:

—Si come algo, conde, le dejo libre junto con dos caballeros suyos.

—Si hace usted eso, Cid —respondió el conde—voy a estar agradecido el resto de mi vida.

—Pues coma —dijo el Cid—, pero tiene que saber que no le voy a devolver nada de lo que le gané en la batalla, porque lo necesito para mí y para todos mis vasallos.

---

90 bocado: trozo de comida que se come de una vez.

El conde estuvo de acuerdo. Comió todo lo que quiso y se fue con sus dos caballeros. Les dieron tres caballos bien ensillados[91], mantos[92] y muy buenos trajes. Al despedirse, el Cid le dijo:

—Si quiere volver algún día para vengarse[93], aquí me va a encontrar.

—No se preocupe, Cid, no pienso volver a buscarlo —contestó el conde.

Don Ramón Berenguer se fue y el Cid volvió junto a sus hombres. El conde volvía la cabeza y miraba hacia atrás. Pensaba que el Cid se podía arrepentir[94]. Pero este nunca hizo nada desleal[95].

El Cid se juntó con sus soldados y a todos les pagó mucho dinero gracias a las ganancias que hicieron en las tierras de Barcelona.

---

91 ensillado: con silla para montar sobre él.
92 manto: vestido amplio que cubre todo el cuerpo, como una capa.
93 vengar: causar mal a una persona porque antes se lo ha hecho a uno o a otro.
94 arrepentirse: sentir pena por hacer algo en el pasado.
95 desleal: no legal, infiel, mentiroso.

Cantar segundo
Cantar de las bodas de las hijas del Cid

Tras las victorias del Cid, todos sus hombres se hicieron tan ricos que no sabían cuánto dinero tenían. Entonces decidieron ir hacia el mar. Conquistaron las tierras de Burriana[96] y Sagunto[97] y allí se quedaron algún tiempo. A los moros de Valencia no les gustó aquello y cercaron la ciudad de Sagunto.

Al verlo, el Cid envió algunos hombres a buscar ayuda y al tercer día los reunió a todos y les dijo:

—¡Escuchad, soldados, seguro que Dios nos va a ayudar! Los moros de Valencia nos han cercado. Tienen derecho[98] a hacerlo, porque estamos en sus tierras y comemos su pan y bebemos su vino. Pero si queremos seguir aquí, debemos hacer algo. Así que mañana vamos a salir con las armas.

Entonces Minaya Alvar Fáñez respondió:

—Vamos a hacer lo que dices, Campeador. Yo voy a ir con cien hombres por un lado y el resto se queda contigo. Con la ayuda de Dios, les vamos a vencer.

---

96 Burriana: pueblo de la costa en la provincia de Castellón (Comunidad Valenciana).
97 Sagunto: pueblo de la costa en la provincia de Valencia a unos veinticinco kilómetros de la ciudad de Valencia.
98 derecho: aquí, posibilidad de hacer una cosa por tener razón.

Al día siguiente empezó la batalla.

—¡En nombre de Dios luchad! ¡Al combate[99], caballeros, que yo soy Rodrigo Díaz, soy el Cid, el de Vivar!

Los moros eran muchos, pero los cristianos pelearon con muchas ganas y arrancaron[100] casi todas sus tiendas. Alvar Fáñez entró con sus hombres por el otro lado y entonces los moros que pudieron se escaparon[101] para no morir.

El ejército del Cid fue detrás de ellos y llegaron hasta la misma ciudad de Valencia. Allí hicieron grandes ganancias porque tomaron lo que dejaron los moros en su campamento. Después, volvieron a Sagunto. Por todos aquellos lugares tenían miedo al Cid y a sus soldados. En Valencia ya no sabían qué hacer y no se atrevían a salir de la ciudad. También se hablaba de ellos en las tierras del otro lado del mar.

* * *

Durante tres años estuvieron por aquellas tierras moras. Salían también por la noche e iban ganando muchas ciudades de la costa[102]. Su mayor deseo era conquistar la ciudad de Valencia, pero los moros no salían tampoco a trabajar en sus tierras. Por eso cada vez tenían menos

---

99 combate: pelea, batalla.
100 arrancar: tomar o quitar con violencia algo que está fijo en un lugar.
101 escapar: huir, salir de un peligro.
102 costa: territorio al lado del mar o cerca de él.

comida para seguir viviendo y muchas mujeres y niños se morían de hambre[103]. Entonces pidieron ayuda al rey de Marruecos, pero este estaba en otra guerra y no pudo ayudarlos.

El Cid supo que el rey de Marruecos no podía ir a Valencia y entonces envió el siguiente mensaje a los reinos de Aragón y de Navarra: «Si alguno quiere hacerse rico, puede ir con el Cid a conquistar Valencia para dársela a los cristianos».

Llegaron muchos soldados de todas partes y gracias a esto ganaron Valencia. Entraron los cristianos en la ciudad y se quedaron con todo el oro y la plata que allí había. Después el Cid Campeador puso su bandera encima del alcázar[104].

El rey moro de Sevilla supo que los cristianos ganaron Valencia y fue hacia la ciudad con treinta mil hombres, pero también les venció el Cid, el de la crecida barba.

Todos los cristianos estaban muy contentos con el Cid Ruy Díaz y este les dijo muy claro:

—¡Por amor al rey Alfonso, que me echó de la tierra, en mi barba no va a entrar tijera[105], porque no voy a cortar ni un pelo!

---

103 hambre: ganas o necesidad de comer.
104 alcázar: castillo o palacio donde solía vivir un rey musulmán.
105 no entrar tijera: expresión que significa que *no la han cortado*.

Nuestro Cid don Rodrigo Díaz y sus soldados llevaban ya bastante tiempo en Valencia. Dieron tierras y riquezas a todos sus hombres: a los que estaban con él desde el principio y también a los que se unieron más tarde. Entonces el Cid se dio cuenta de que muchos de ellos querían volver a sus casas, por eso los reunió y les dijo que no podían irse porque necesitaba soldados para no perder Valencia.

—Si te parece bien, Minaya, quiero contar a todos los hombres para saber cuántos hay. Y si alguno se quiere ir, tiene que devolver todas las riquezas.

Así pues, los contó a todos. Había tres mil seiscientos, por lo que el Cid se alegró muchísimo y le dijo a Minaya:

—¡Demos gracias a Dios, buen Minaya, y a Santa María madre[106]! Salimos de casa con pocos hombres y sin dinero. Ahora tenemos grandes riquezas y aún vamos a ganar más en el futuro. Si tú quieres, deseo enviarte otra vez ante el rey Alfonso para llevarle cien caballos. Además, pregúntale si puedo traer a mi mujer y a mis hijas a vivir aquí conmigo, a estas tierras que hemos ganado.

Minaya Alvar Fáñez estuvo de acuerdo y preparó a cien hombres para acompañarlo. Antes de irse, llegó a Valencia un obispo[107] llamado don Jerónimo, hombre

---

106 Santa María madre: Virgen, madre de Dios.
107 obispo: religioso con un grado superior al sacerdote.

sabio y buen soldado. Venía de Francia preguntando por el Cid y con muchas ganas de luchar contra los moros. Cuando el Cid lo supo, le dijo a Alvar Fáñez:

—Escucha, Minaya, quiero hacer un obispado[108] en tierras de Valencia y dárselo a este buen hombre y soldado. Al llegar a Castilla así se lo vas a decir al rey y a todo el mundo.

El Cid hizo aquello y todos en Valencia estaban alegres porque tenían un obispo. Después de esto, Minaya se despidió de todos y se fue.

* * *

Al llegar a Castilla encontró al rey a la salida de la iglesia. Puso las rodillas en el suelo delante de él y le dijo:

—¡Señor don Alfonso, por el amor de Dios! Nuestro Cid le besa las manos y los pies. Usted le echó de Castilla, pero él hace cosas buenas en tierra de moros: ha ganado muchas batallas y ahora es señor de Valencia. Además ha puesto allí un obispado. Tiene muchas riquezas, por eso en su nombre le doy estos cien caballos, que son fuertes y veloces[109]. Para el Cid usted todavía es su señor y él se siente su vasallo.

5.

---

108 obispado: territorio donde manda un obispo.
109 veloz: que corre mucho.

De missa era exido essora el rey Alfonsso.
Don Alfonso el castellano de misa estaba saliendo.
Afe Minaya Albar Fanez do lega tan apuesto,
He aquí a Minaya Álvar Fáñez cómo llega tan apuesto,
Finco sos ynoios ante todel pueblo:
las dos rodillas ha hincado delante de todo el pueblo,
A los pies del rey Alfonsso cayo con grand duelo:
y a los pies del rey Alfonso púsose con mucho duelo,
Besaua le las manos e fablo tan apuesto:
las dos manos le besaba, y empezó a hablar, tan discreto:
Merçed, sennor Alfonsso, por amor del Criador,
«Merced, nuestro rey Alfonso, por amor del Creador.
Besaua uos las manos Myo Çid lidiador:
Estas manos os las besa Mío Cid el luchador,
Quel ayades merçed, si uos uala el Criador.
que le hagáis merced os pide, válgaos el Creador.
Los pies e las manos commo a tan buen sennor:
Los pies os besa y las manos cual cumple a tan gran señor.
Echastes le de tierra, non ha la uuestra amor:
Vos, rey, le habéis desterrado, le quitasteis vuestro amor,
Mager en tierra agena, el bien faze lo so.
pero aunque está en tierra extraña el Cid su deber cumplió,
Gannada a Xerica e a Ondra por nombre,
a esos pueblos que se llaman Jérica y Onda ganó,
Priso a Almenar e a Muruiedro que es miyor:
Almenar ha conquistado, Murviedro, que es aún mayor,
Assi fizo Çebolla e adelant Casteion:
a Cebolla gana luego y el pueblo de Castejón,
E Penna Cadiella que es vna penna fuert.
Peña Cadiella, la villa que está en un fuerte peñón;
Con aquestas todas de Valençia es sennor.
con todas estas ciudades ya de Valencia es señor.
Obispo fizo de su mano el buen Canpeador:
Obispo hizo por su mano Mío Cid Campeador,

E fizo çinco lides canpales e todas las arranco.
cinco batallas campales libra y todas las ganó.
Grandes son las ganançias que le dio el Criador.
Grandes fueron las ganancias que le ha dado el Creador,
Feuos aqui las sennas, verdad uos digo yo:
aquí tenéis las señales, la verdad os digo yo.
Çient cauallos gruessos e corredores:
Estos cien gruesos caballos buenos corredores son,
De siellas e de frenos todos guarnidos son,
de ricos frenos y sillas todos llevan guarnición,
Besa uos las manos e que los prendades uos.
Mío Cid, señor, os ruega que los toméis para vos,
Razonas por vuestro vassallo, e a uos tiene por sennor.
que es siempre vuestro vasallo y os tiene por señor».

El rey levantó la mano derecha y se santiguó[110]:

—Estoy muy feliz por las victorias del Campeador y por todas sus ganancias —contestó—. Por eso recibo contento estos caballos.

En ese momento, el conde García Ordóñez, que no era amigo del Cid, dijo:

—Parece que en tierra de moros ya no quedan hombres vivos, porque el Cid Campeador hace lo que quiere.

—No hables así —respondió el rey—, porque él es mejor vasallo mío que tú.

---

110 santiguarse: hacer la señal de la cruz con la mano, en la cara.

Minaya continuó diciendo:

—Si usted está de acuerdo, el Cid quiere sacar a su mujer y sus dos hijas del monasterio donde están y llevarlas con él a Valencia.

Llévatelas —dijo el rey—, pero uno de mis hombres va a ir con vosotros para ayudaros durante el viaje por mis tierras. Vais a tener comida y casa hasta Medinaceli[111]. De allí en adelante vais a cuidarlas tú y el Cid.

Después habló a toda su corte[112] diciendo:

—¡Oídme, vasallos! Perdono al Cid y a todos sus hombres, y les devuelvo sus tierras y sus casas. Además, si alguno de vosotros quiere, puede ir a servirle[113].

En ese momento hablaron entre sí los dos infantes[114] de Carrión[115]:

—El Cid Campeador es muy rico e importante. Si nos casamos con sus hijas podemos ser muy ricos también.

—Pero nosotros somos condes y él no.

---

111 Medinaceli: pueblo en la provincia de Soria (Comunidad de Castilla y León).
112 corte: aquí, conjunto de personas familiares y vasallos de un rey.
113 servir: aquí, ser vasallo de alguien.
114 infante: aquí, familiar del rey.
115 infantes de Carrión: personajes históricos, hijos del conde Gonzalo Asúrez. En la realidad no se casaron con las hijas del Cid.

Esto fue lo único que hablaron y no se lo dijeron a nadie.

Minaya Alvar Fáñez se despidió del buen rey, pero antes de irse se acercaron a él los infantes de Carrión y le dijeron:

—Amigo Minaya, saluda de nuestra parte al Cid, el de Vivar, y dile que podemos ir con él para ayudarlo.

—Muchas gracias —respondió Alvar Fáñez muy serio, porque los infantes de Carrión no eran buenos amigos suyos.

Los infantes se volvieron a sus casas y Minaya se fue para el monasterio de San Pedro, donde estaba la familia del Cid. Allí lo recibió doña Jimena con gran alegría. Minaya le dijo:

—El rey os ha dejado libres, a ti y a tus hijas. Por eso vengo a llevaros con el Cid a Valencia, donde ahora él es señor. Hemos ganado muchas tierras a los moros y tenemos buenas ganancias.

Después llamó a tres caballeros y los mandó a Valencia:

—Decid al Campeador que su mujer y sus hijas están libres y que dentro de quince días vamos a llegar todos.

Poco a poco se unieron a Minaya Alvar Fáñez caballeros de todas partes porque querían estar con nuestro

Cid de Vivar. En total llegaron unos sesenta y cinco, más los cien que ya estaban con Minaya. Este le dio quinientos marcos al abad del monasterio y con otros quinientos compró buenos caballos para doña Jimena, sus hijas y otras mujeres que les acompañaron.

Cuando todos estaban preparados, llegaron Raquel y Vidas y se pusieron a los pies de Minaya:

—Minaya, usted es un buen hombre. El Cid nos ha dejado pobres. Necesitamos el dinero que le dimos, no queremos los intereses[116], solo el dinero, por favor.

—Voy a hablar con el Cid y él os va a dar un buen premio por lo que hicisteis.

—Gracias, eso esperamos.

Alvar Fáñez se despidió del abad y se puso en camino.

* * *

Los tres caballeros que Alvar Fáñez envió a Valencia con el mensaje, llegaron ante el Cid y este se puso muy contento con la noticia. Mandó a varios de sus mejores hombres a Medinaceli para proteger a su mujer y a sus hijas en el viaje hasta Valencia por tierra de moros. Reunió a Muño Gustioz[117], Pedro Bermúdez, Martín Antolínez y al obispo don Jerónimo y les dijo:

---

116 interés: aquí, beneficio o ganancia que se obtienen después de prestar dinero.
117 Muño Gustioz: históricamente, hermano de doña Jimena.

—Estad preparados, porque quizá vais a tener que luchar. Pasad por Molina[118], donde está mi amigo el moro Abengalbón. Él puede acompañaros con otros cien hombres más.

En dos días llegaron a Molina y Abengalbón los recibió con alegría. Después les dio doscientos soldados y con ellos llegaron a Medinaceli.

Alvar Fáñez se alegró de verlos, porque pensó que así era más fácil el viaje. Aquella noche tuvieron todos una gran cena y a la mañana siguiente se pusieron a cabalgar.

Varios días tardaron en llegar a Valencia, pero antes de entrar en la ciudad el Cid envió a doscientos caballeros para recibirlos y acompañarlos en el final del camino. Él tenía que quedarse para guardar la ciudad.

Después se preparó para recibir a su familia: iba vestido de blanco y tenía la barba ya muy larga. Mandó traer a su caballo Babieca[119], que ganó hacía poco tiempo en una batalla contra el rey moro de Sevilla, y esperó a su mujer y a sus hijas. Al verlas entrar, corrió hacia ellas sobre su caballo y todos se maravillaron[120] de aquello. Desde aquel día en toda España se habló de Babieca.

---

118 Molina: Molina de Aragón, pueblo en la provincia de Guadalajara (Comunidad de Castilla-La Mancha).

119 Babieca: los caballos de hombres importantes podían tener nombres propios. Babieca significa *tonto, bobo*. El Cid lo ganó al emir de Sevilla.

120 maravillarse: tener una gran sorpresa.

Después descabalgó[121] y se fue hacia su mujer y sus hijas. Doña Jimena se puso a sus pies:

—Gracias, Campeador. ¡Qué bien ciñes la espada! Aquí me tienes, señor, y tus hijas me acompañan.

El Cid las abrazó llorando de alegría. Entonces les dijo:

—Esposa mía, mujer querida. Y vosotras, hijas de mi corazón y de mi alma, entrad conmigo en la ciudad de Valencia, que esta es vuestra casa. La he ganado para vosotras.

Las tres le acompañaron al alcázar. Las subió hasta el lugar más alto y desde allí vieron la hermosa ciudad de Valencia, con su gran huerta[122], junto al mar. Y todos dieron gracias a Dios.

* * *

Después de algún tiempo, el rey Yusuf de Marruecos no olvidaba que el Cid conquistó muchas de sus tierras. Estaba muy furioso[123], así que reunió cincuenta mil soldados y fueron en barco hacia Valencia. Al llegar, pusieron sus tiendas alrededor de la ciudad.

Le dieron la noticia al Cid y este se alegró muchísimo porque pensó: «Gracias a Dios he ganado Valencia y no

---

121 descabalgar: bajar del caballo.
122 huerta: lugar donde se cultivan vegetales y árboles frutales.
123 furioso: enfadado.

la quiero perder. Estos soldados moros que han llegado del otro lado del mar son una alegría para mí, porque mi mujer y mis hijas van a verme luchar. Así van a saber cómo se gana el pan[124]».

Después llevó a doña Jimena y a sus hijas a lo más alto del alcázar. Desde allí vieron a los moros poner sus tiendas.

—¿Qué esto, Cid? —dijo entonces su mujer— ¡Oh, Dios mío, ayúdanos!

El Cid le respondió:

—No tengas miedo, mujer. Con esta batalla vamos a tener más riqueza y así vamos a casar[125] mejor a nuestras hijas. Quédate aquí, porque desde este lugar vas a verme pelear. Si tú estás delante, voy a luchar con más ganas.

Al llegar el día, los moros empezaron a tocar con fuerza sus tambores[126]. Después cabalgaron muy deprisa y se metieron en las huertas sin miedo. Al verlos el atalaya[127] llamó a los otros. Los soldados cristianos salieron a pelear. Al llegar, echaron a los moros con fuerza de las huertas y aquel día mataron a unos quinientos. Después volvieron a la ciudad y le explicaron al Cid todo lo ocurrido. Este dijo:

---

124 ganar el pan: expresión que significa *trabajar para poder comer y vivir*.
125 casar: unir a dos personas ante un sacerdote o un juez. Contraer matrimonio.
126 tambor: instrumento musical que se golpea con dos palos.
127 atalaya: persona que está en un lugar alto y dicen si vienen enemigos.

—Oídme, caballeros, hoy ha sido un día bueno, pero mañana va a ser mejor todavía. Al salir el sol, el obispo don Jerónimo va a decir la misa y después vamos a salir de nuevo a pelear.

Minaya también habló, no quiso quedarse atrás:

—Les vamos a atacar por dos lados. Cid, dame a mí ciento treinta caballeros y empieza tú la batalla. Después nosotros podemos entrar por la otra parte.

Al Cid le pareció bien y pasaron aquella noche preparándose para pelear. Antes de salir el sol, el obispo don Jerónimo cantó la misa[128] y después le dijo al Cid:

—Por ti he cantado la misa hoy, Cid don Rodrigo, que ceñiste bien la espada. Por eso quiero pedirte una cosa: déjame ser el primero en comenzar la batalla.

—De acuerdo —respondió el Cid.

Salieron todos bien armados y el Cid sobre su caballo Babieca. Eran unos cuatro mil soldados y luchaban contra cincuenta mil. Pero atacaron por los dos lados y les vencieron. El Cid usó la lanza y también la espada. Mató tantos moros que no se podían contar.

Después fue por el rey Yusuf y le dio tres grandes golpes. Pero este pudo escapar junto a unos cien soldados moros que quedaron vivos. El ejército del Cid se llevó

---

128 cantar misa: antiguamente, las misas se cantaban (en latín).

del campo todo lo que dejaron los moros. Además, entre el oro y la plata encontraron unos tres mil marcos. Las demás ganancias no se podían contar.

El Cid y todos sus vasallos volvieron a Valencia muy contentos. Allí esperaban doña Jimena y sus hijas. Entró en la ciudad sobre su caballo Babieca y con la espada en la mano. Llegó hasta ellas y les dijo:

—Gracias a Dios hemos ganado toda esta riqueza. Vuestra llegada nos ha dado suerte. ¿Veis la espada sangrienta[129] y el caballo sudoroso[130]? Pues así se vence a los moros en el campo. Si yo vivo algunos años más, os voy a hacer personas muy importantes y todos van a besar vuestras manos.

Entonces se bajó del caballo y doña Jimena, sus hijas y todas las mujeres que estaban con ellas se pusieron a sus pies y le dijeron:

—Estamos a tu lado y te queremos para siempre.

Después entraron en su casa y se sentaron en la sala. El Cid les dijo:

—Quiero casar con mis vasallos a todas estas mujeres que están a vuestro servicio. Además le voy a dar doscientos marcos a cada una. Las bodas de nuestras hijas las tenemos que pensar más tranquilamente.

---

129 sangrienta: con sangre.
130 sudoroso: lleno de sudor (líquido transparente y salado que sale de la piel).

Entonces se levantaron todas y fueron a besarle las manos.

El buen Minaya Alvar Fáñez estaba fuera contando todo lo que consiguieron, entre armas, buenos trajes y caballos. El Cid lo repartió todo entre sus vasallos y también entre los moros que vivían en aquellas tierras. Al obispo don Jerónimo le dio la décima parte de las ganancias, porque sin duda era un valiente soldado.

Después llamó a Alvar Fáñez y le dijo:

—Ven aquí, Minaya. Quiero darte la quinta parte de todas las ganancias, porque lo mereces[131] más que nadie. Y mañana por la mañana vas a ir a llevarle al rey Alfonso doscientos caballos. Quiero agradecerle la libertad de mi mujer y mis hijas. Además también le vas a llevar la tienda del rey Yusuf de Marruecos, porque es la mejor de todas.

* * *

Al día siguiente se fueron Alvar Fáñez Minaya y Pedro Bermúdez, acompañados por doscientos hombres más. Salieron de Valencia y, tras cabalgar varios días y varias noches, llegaron a Valladolid[132], donde estaba el rey Alfonso. Este salió muy contento a recibirlos, junto a algunos de sus hombres más importantes. Entre ellos estaban los infantes de Carrión y el conde don García

---

131 merecer: ser digno de recibir algo.
132 Valladolid: ciudad de la Comunidad de Castilla y León. Al norte de Madrid.

Ordóñez[133], enemigo del Cid. Vieron llegar a Minaya y a Pedro Bermúdez con sus hombres. Parecían un ejército entero.

Minaya y Pedro Bermúdez se bajaron de sus caballos y se pusieron de rodillas delante del rey. Le besaron los pies[134] y le dijeron:

—Le besamos los pies en nombre de nuestro Cid, quien está contento porque ha dejado libres a su mujer y a sus hijas. Hace pocos días ha vencido en una batalla al rey Yusuf de Marruecos y a sus cincuenta mil soldados. Las ganancias fueron muchas y son ricos todos sus vasallos. Por eso le envía doscientos caballos y le besa las manos.

El rey Alfonso respondió:

—Le agradezco al Cid todos estos caballos y creo que en el futuro va a ser un gran vasallo de mi reino. A vosotros dos os doy buenas armas y también estos tres caballos.

Esto no le gustó al conde don García y se fue aparte[135] con diez de sus parientes[136] para decirles:

---

133 García Ordóñez: noble de Castilla, familiar de Alfonso VI. Peleó y perdió contra el Cid en una batalla y fueron enemigos siempre.
134 besar los pies: similar a besar las manos. Servía para demostrar la inferioridad de una persona ante otra.
135 aparte: a otro lugar.
136 pariente: persona de la misma familia.

—Mucho ha crecido[137] la honra del Cid y esto no es bueno para nosotros.

También los infantes de Carrión hablaron entre ellos:

—Al Cid le va muy bien. Pidamos a sus hijas para casarnos con ellas. Así vamos a ser más ricos y más importantes.

6.

6.   Doble versión original del texto anterior

Peso al conde don Garcia, e mal era yrado:
    Al conde García Gómez mucho aquello le ha pesado,
Con X de sus parientes aparte dauan salto.
    él y diez parientes suyos allí a un lado se apartaron.
Marauilla es del Çid que su ondra creçe tanto.
    «Es maravilla del Cid que su honra crezca tanto;
En la ondra que el ha nos seremos abiltados.
    con la honra que él se gana estamos muy afrentados.
[...]
    [...]
De los ynfantes de Carrion yo uos quiero contar.
    Ahora de los dos infantes de Carrión os quiero habla;
Fablando en su consseio auiendo su poridat.
    en pláticas reservadas y misteriosas están.
Las nueuas del Çid mucho van adelant.
    «La prosperidad del Cid muy para adelante va,
Demandemos sus fijas pora con ellas casar:
    le pediremos sus hijas para con ellas casar,
Crezremos en nuestra ondra e yremos adelant.
    se crecerá nuestra honra y así podremos medrar».

Con esta idea se acercaron al rey Alfonso y le dijeron:

---

137 crecer: aumentar, hacerse más grande.

—Señor, queremos casarnos con las hijas del Cid. Si usted está de acuerdo, pídaselas en nuestro nombre. Así ellas van a tener más honra y para nosotros también va a ser muy bueno.

El rey lo pensó un momento y respondió:

—Yo eché de Castilla al buen Cid Campeador. Le hice mal y en cambio él siempre ha sido un buen vasallo. Quizá no le va a gustar este casamiento[138], pero voy a hacer eso me pedís.

El rey don Alfonso llamó a Alvar Fáñez y a Pedro Bermúdez y los llevó a una habitación para hablar con ellos:

—Oídme, Minaya y Pedro Bermúdez. Decid a Rodrigo Díaz, el que en buena hora nació, que tiene mi perdón porque lo merece. Y que quiero verle porque tengo que hablarle de otra cosa: Diego y Fernando, los infantes de Carrión, desean casarse con sus hijas. Llevadle este mensaje. Decidle que con eso va a crecer su honra y su riqueza, porque son de familia rica e importante. Decidle también que puede elegir el lugar de nuestro encuentro.

Se despidieron del rey y se volvieron a Valencia con todos los suyos.

Al llegar ante el Cid, este se alegró mucho de volver a verlos y les dijo:

---

138 casamiento: boda. Compromiso entre un hombre y una mujer.

—¡Venid, Minaya, y tú, Pedro Bermúdez! Es difícil encontrar dos hombres como vosotros. ¿Qué noticias traéis de Alfonso mi señor? ¿Le disteis los caballos? ¿Está contento?

—Verdaderamente está contento —respondió Minaya— y os da su perdón.

—Gracias le doy a Dios —dijo el Cid.

—Pero hay una cosa que quiere pedirte —continuó Minaya—. El rey Alfonso quiere casar a tus hijas con los infantes de Carrión. Dice que con ese casamiento vas a tener más honra y mayor riqueza.

Al oír esto, el buen Campeador estuvo pensando durante bastante tiempo. Después dijo:

—Me echaron de mi tierra y me quitaron mi casa y mi dinero. Lo que tengo ahora lo he ganado yo. No le debo nada al rey, pero ahora él me pide a mis hijas para casarlas con los infantes de Carrión. No me gusta este casamiento, porque son hombres muy orgullosos[139], pero el rey me lo pide, así que voy a ir a hablar con él.

—El rey dijo también que podías elegir el lugar del encuentro. Quiere mostrarte su afecto[140] —respondió Minaya al Cid.

---

139 ser orgulloso: creerse muy importante y mejor que los demás.
140 afecto: simpatía, amor.

Escribieron unos mensajes para enviárselos al rey. En ellos el Cid decía que el lugar del encuentro podía ser junto al río Tajo[141] a las tres semanas.

Dos caballeros llevaron los mensajes ante el rey Alfonso. Cuando el rey lo leyó, todos sus hombres empezaron a preparar el encuentro: necesitaban buenas mulas[142] y grandes y hermosos caballos, escudos de oro y plata y muchos mantos. Además también prepararon mucha comida. Junto con el rey querían ir sus mejores hombres y los más importantes: sobre todo soldados castellanos, pero también leoneses[143] y gallegos[144]. Los infantes de Carrión estaban muy contentos, porque con esas bodas ya se veían muy ricos, con mucho oro y plata.

En Valencia, también nuestro Cid Campeador se preparó para ir al encuentro con el rey. Días más tarde, salió de Valencia. Lo acompañaban sus mejores caballeros, pero algunos se quedaron para guardar Valencia. Les dijo que no debían abrir las puertas del alcázar ni de día ni de noche, porque dentro estaban su mujer y sus hijas y con ellas dejaba su corazón y su alma.

Al llegar al río Tajo, vio al rey y a sus caballeros y se acercó a ellos junto con quince de sus hombres. Se bajó

---

141 Tajo: río más largo de la península Ibérica. Termina en el océano Atlántico (en Lisboa). Pasa por las comunidades autónomas de Aragón, Castilla-La Mancha, Madrid y Extremadura.
142 mula: hembra del mulo; animal que nace de caballo y burro.
143 leonés: natural de León.
144 gallego: natural de Galicia.

de su caballo y se puso de rodillas ante el rey Alfonso llorando de alegría. Este le dijo:

—Levántate, Cid. En pie, Cid campeador. Bésame las manos, no los pies.

—Antes de levantarme quiero su perdón —dijo el Cid—. Y tienen que oírlo todos los que están aquí.

—Eso lo hago con mi alma y mi corazón. Aquí yo te perdono y te doy mi amor. Y desde hoy puedes volver a mi reino como vasallo mío.

7.

Doble versión original del texto anterior

7.

Hynoios fitos sedie el Campeador.
Con las rodillas hincadas seguía el Campeador:
Merçed uos pido a uos myo natural sennor:
«Merced os pido, buen rey, vos, mi natural señor,
Assi estando dedes me uuestra amor que lo oyan quantos aqui son.
que ante vos arrodillado me devolváis vuestro amor,
y puedan oírlo todos los que están alrededor».
Dixo el rey: esto fere dalma e de coraçon.
Dijo el rey: «Así lo haré con alma y con corazón,
Aqui uos perdono e douos my amor:
aquí os perdono, Cid, y os vuelvo mi favor,
En todo myo reyno parte des de oy.
desde hoy en todo mi reino acogida os doy yo».

Todos se alegraron al oír las palabras del rey, menos Alvar Díaz y García Ordóñez.

Entonces el Cid se puso de pie, besó las manos del rey y dijo:

—Doy las gracias a Dios y al rey don Alfonso, mi señor.

Los infantes de Carrión se le acercaron para saludarlo y después el Cid estuvo junto al rey el resto del día, porque estaba muy contento y realmente lo quería de corazón.

Se pasaron todo un día en fiesta, comiendo y bebiendo con gran alegría. Todos pensaron que era la mejor comida desde hacía mucho tiempo.

A la mañana siguiente, el obispo don Jerónimo cantó misa y después el rey les habló a todos:

—¡Escuchadme, soldados, condes e infanzones[145]! Quiero hacer un ruego[146] al Cid Campeador.

A continuación miró al Cid y le dijo:

—Te pido a tus hijas doña Elvira y doña Sol para dárselas por mujeres a los infantes de Carrión. Ellos te las piden, pero yo te lo mando.

8.

8. Doble versión original del texto anterior

Al otro dia mannana assi commo salio el sol,
Otro día de mañana, así como sale el sol,
El obispo don Ieronimo la missa canto.
el obispo don Jerónimo una misa les cantó.

---

145 infanzón: noble de nivel inferior a los condes.
146 ruego: petición.

Al salir de la missa todos iuntados son,
Non lo tardo el rey, la razon conpeço.
A la salida de misa el rey a todos juntó:
Oyd me, las escuellas, cuendes e ynfançones:
«Infanzones y mesnadas, condes, oíd con atención
Cometer quiero vn ruego a Myo Çid el Campeador:
el ruego que voy a hacer a Mío Cid Campeador,
Asi lo mande Christus que sea a so pro:
que sea para su bien ojalá lo quiera Dios.
Vuestras fijas uos pido don Eluira e donna Sol,
Vuestras hijas, Cid, os pido, doña Elvira y doña Sol,
Que las dedes por mugieres a los ynfantes de Carrion:
para que casen con ellas los infantes de Carrión.
Semeiam el casamiento ondrado e con gran pro:
Me parece el casamiento honroso para los dos,
Ellos uos las piden e mando uos lo yo.
los infantes os las piden y les recomiendo yo».

—No quería casar a mis hijas todavía, porque son muy pequeñas —contestó el Campeador—. Pero voy a hacer lo que me pide. Los infantes de Carrión son muy buenos para ellas.

—Gracias —dijo el rey— a ti y a toda esta corte.

Luego se levantaron los infantes de Carrión, besaron las manos del Cid y cambiaron las espadas[147] con él delante del rey don Alfonso. Este continuó hablando, como habla un buen señor:

---

147 cambiar las espadas: acto que se hacía cuando dos personas pasaban a formar parte de una misma familia.

—Gracias, Cid, eres muy bueno por darme a tus hijas para los infantes de Carrión. Gracias también a Dios. Así que tomo a doña Elvira y doña Sol y se las doy por esposas a los infantes. Dios te va a ayudar y con estas bodas vas a tener una gran felicidad. Les doy a los infantes trescientos marcos de plata como ayuda para sus casamientos. Después tienes que quererlos como a tus propios hijos.

—Se lo agradezco, rey, y estoy contento con este don[148] —contestó el Cid—. Pero es usted quien casa a mis hijas, y no yo.

Entonces el rey tomó las manos de los infantes y las puso entre las del Cid:

—Aquí tienes a tus hijos porque son tus yernos[149]. A partir de ahora tú eres su padre, Campeador.

—Se lo agradezco, rey, y tomo este don. Pero antes de irnos, quiero pedirle otra cosa, rey don Alfonso. Yo no quiero dar a mis hijas a los infantes con mi propia mano. Diga el nombre de una persona para casarlas en su nombre.

—Minaya Alvar Fáñez va a ser el padrino[150] —respondió el rey al Cid.

---

148 don: cosa buena, regalo.
149 yerno: respecto de una persona, el marido de su hija.
150 padrino: aquí, hombre que acompaña a la novia el día de su boda.

Después miró a Minaya y le dijo:

—Toma a doña Elvira y a doña Sol con tus manos y dáselas a los infantes en mi nombre.

—Así lo voy a hacer, señor —contestó Alvar Fáñez.

De esta manera acabó el encuentro. El Cid volvió a regalar cincuenta caballos a su señor don Alfonso y se despidió de él. Muchos caballeros del rey se unieron a los del Cid para ir a Valencia a ver las bodas de doña Elvira y doña Sol, porque el Cid los invitó a todos.

* * *

Al llegar a Valencia, el Cid habló con Pedro Bermúdez y Muño Gustioz, dos de sus mejores caballeros:

—Llevad a los infantes de Carrión a alguna posada y estad con ellos toda la noche para saber lo que hacen o lo que dicen.

Después todos se fueron a sus casas y el Cid entró en el alcázar. Allí le recibieron Jimena y sus dos hijas.

—¿Ya vienes, Campeador? No quiero separarme de ti tanto tiempo nunca más.

—Mi mujer doña Jimena, gracias a Dios estoy de nuevo aquí. Y además vengo con muy buenas noticias: he traído conmigo a dos importantes caballeros para casar a nuestras hijas.

Entonces se acercaron a él su mujer y sus hijas y le besaron las manos de alegría.

—Doy gracias a Dios, Cid de barba crecida. Todo lo que haces está bien hecho —dijo doña Jimena—. A nuestras hijas no les va a faltar nada.

—Si nos casas, padre, vamos a ser muy ricas —dijeron las hijas.

—No solo vais a ser más ricas —contestó el Cid—. Además vamos a tener más honra. Pero no fui yo quien pidió la boda, sino el mismo rey don Alfonso. Él me lo rogó y yo no pude decir que no. Por eso, realmente es el rey quien os casa y no yo.

Al día siguiente prepararon la casa para las bodas. La pusieron muy hermosa. El Cid reunió a sus caballeros y envió a unos pocos a buscar a los infantes de Carrión. Estos llegaron muy bien vestidos y los recibió el Cid junto con todos sus vasallos. Los infantes le saludaron a él y a su esposa y después se sentaron a su lado.

Todos estaban esperando las palabras del Cid.

—Tenemos que casar a mis hijas con los infantes de Carrión. Entonces ¿por qué esperar más? Acércate, Alvar Fáñez, querido amigo. Aquí tienes a mis hijas, dáselas a los infantes de Carrión con tu mano, porque el rey así lo ha mandado. Hazlo ahora y terminemos rápido.

Minaya tomó de la mano a doña Elvira y a doña Sol y habló a los infantes de Carrión:

—En nombre del rey Alfonso os doy a estas mujeres. Tomadlas por esposas y cuidadlas bien.

Los dos las recibieron con gran amor y besaron las manos del Cid y de doña Jimena. Después fueron a la iglesia de Santa María y allí el obispo don Jerónimo les dio la bendición[151]. Las fiestas de las bodas duraron quince días y durante ese tiempo el Cid don Rodrigo dio dones a todos: caballos, mulas, mantos, vestidos y, sobre todo, dinero. Así, los que vinieron de Castilla para las bodas se volvieron a su casa muy ricos.

Los infantes de Carrión, Diego y Fernando, se quedaron viviendo en Valencia con sus mujeres casi dos años; y durante ese tiempo todos fueron muy felices.

---

151 dar la bendición: desear el bien a alguien en nombre de Dios.

Cantar tercero
Cantar de la afrenta[152] de Corpes

Una noche, un león que el Cid tenía en el alcázar se desató[153]. Los infantes de Carrión, que dormían cerca de él, tuvieron mucho miedo. Fernando González se metió debajo de la cama del Cid y Diego salió por la puerta dando gritos: «¡No voy a volver a ver Carrión[154]!». Se metió en el corral[155] y después salió de allí muy sucio.

Algunos hombres del Cid fueron a despertar a su señor y este les dijo:

—¿Qué es esto, caballeros? ¿Qué queréis?

—Señor, el león se ha desatado —contestaron ellos.

El Cid se levantó y se acercó al animal. Este, al verlo, bajó la cabeza y puso la boca sobre el suelo. Nuestro Cid Rodrigo Díaz lo tomó del cuello[156] y volvió a atarlo. Todos los presentes se quedaron maravillados de su señor.

---

152 afrenta: acción mala que se hace a alguien y por la que este pierde la honra.
153 desatar: quedarse libre.
154 Carrión: actual Carrión de los Condes, pueblo en la provincia de Palencia (Comunidad de Castilla y León).
155 corral: lugar donde se guardan los animales.
156 cuello: parte del tronco que une la cabeza al tronco.

Después el Cid preguntó por sus yernos porque no los veía. Nadie sabía dónde estaban, así que empezaron a buscarlos y a llamarlos a gritos. Cuando salieron, estaban muertos de miedo y con la cara sin color[157]. Al verlo, todos rieron hasta que el Cid les mandó callar. A los infantes de Carrión no les gustó nada aquello y nunca olvidaron aquella noche.

9.

9.

Versión original del texto anterior

Yazies en vn escanno durmie el Campeador.
  Acostado en un escaño dormía el Campeador,
Mala sobreuienta, sabed, que les cuntio:
  ahora veréis qué sorpresa mala les aconteció.
Salios de la red, e desatos el leon.
  De su jaula se ha escapado, y andaba suelto el león,
En grant miedo se vieron por medio de la cort.
  al saberlo por la corte un gran espanto cundió.
Enbraçan los mantos los del Campeador,
  Embrazan sus mantos las gentes del Campeador
E çercan el escanno e fincan sobre so sennor.
  y rodean el escaño protegiendo a su señor.
Ferran Gonzalez non vio alli dos alçasse nin camara abierta nin torre.
  Pero Fernando González, el infante de Carrión,
  no encuentra dónde meterse, todo cerrado lo halló,
Metios sol escanno tanto ouo el pauor.
  metióse bajo el escaño, tan grande era su terror.
Diego Gonzalez por la puerta salio;
  El otro, Diego González, por la puerta se escapó
Diziendo de la boca: non vere Carrion.
  gritando con grandes: «No volveré a ver Carrión».
Tras vna viga lagar metios con grant pauor:
  Detrás de una gruesa viga metióse con gran pavor
El manto e el brial todo suzio lo saco.
  y, de allí túnica y manto todos sucios los sacó.

---

157 sin color: aquí, blanca por el miedo.

En esto desperto el que en buen ora naçio:
Estando en esto despierta el que en buen hora nació
Vio cerçado el escanno de sus buenos varones:
y ve cercado el escaño suyo por tanto varón.
Ques esto mesnadas, o que queredes uos?
«¿Qué es esto, decid, mesnadas? ¿Qué hacéis aquí alrededor?»
Hya, sennor ondrado, rebata nos dio el leon.
«Un gran susto nos ha dado, señor honrado, el león».
Myo Çid finco el cobdo, en pie se leuanto:
Se incorpora Mío Cid y presto se levantó,
El manto trae al cuello, e adelino pora leon.
y sin quitarse ni el manto se dirige hacia el león:
El leon quando lo vio assi envergonço:
la fiera cuando le ve mucho se atemorizó,
Ante Myo Çid la cabeça premio e el rostro finco.
baja ante el Cid la cabeza, por tierra la cara hincó.
Myo Çid don Rodrigo al cuello lo tomo,
El Campeador entonces por el cuello le cogió,
E lieua lo adestrando, en la red lo metio.
como quien lleva un caballo en la jaula lo metió.
A marauilla lo han quantos que y son,
Maravilláronse todos de aquel caso del león
E tornaron se al palaçio pora la cort.
y el grupo de caballeros a la corte se volvió.
Myo Çid por sos yernos demando e no los fallo.
Mío Cid por sus yernos pregunta y no los halló,
Mager los estan lamando, ninguno non responde:
aunque los está llamando no responde ni una voz.
Quando los fallaron e ellos vinieron, assi vinieron sin color:
Cuando al fin los encontraron, el rostro traen sin color
Non viestes tal guego commo yua por la cort.
tanta broma y tanta risa nunca en la corte se vio,
Mandolo vedar Myo Çid el Campeador.
tuvo que imponer silencio Mío Cid Campeador.
Muchos touieron por enbaydos los ynfantes de Carrion.
Avergonzados estaban los infantes de Carrión,
gran pesadumbre tenían de aquello que les pasó.

Algún tiempo después, llegó el rey Búcar de Marruecos con sus ejércitos y pusieron cincuenta mil tiendas alrededor de la ciudad de Valencia. El Cid y todos sus hombres se alegraron mucho. Sabían que ganar otra vez a los moros les podía hacer más ricos. En cambio, los infantes de Carrión tuvieron mucho miedo, porque no querían pelear. Pero salieron a la batalla porque el Cid lo mandó.

El ejército del Cid atacó violentamente[158] a los soldados del rey Búcar y cuando empezó la batalla, don Fernando, uno de los infantes de Carrión, quiso escapar del campo, pero un moro fue detrás de él. Pedro Bermúdez mató al moro para salvarle la vida al infante y después le dijo:

—Don Fernando, tome este caballo. Puede usted decir que se lo ganó a un moro. Yo soy testigo[159].

Don Fernando se lo agradeció y volvieron juntos.

La batalla siguió. El obispo don Jerónimo pidió al Cid luchar delante y mató dos moros con la lanza y cinco con la espada. Eran muchos y entre todos le dieron grandes golpes, pero no podían con él. Cuando el Cid lo vio, cabalgó sobre Babieca para ayudarle. Entró en la pelea violentamente. Tiró al suelo a siete moros y mató a otros cuatro de una vez.

---

158 violentamente: con gran fuerza.
159 testigo: persona que ve algo y puede decirlo a otros.

La batalla acabó con la victoria del Cid y su ejército. Sacaron de las tiendas a los moros y fueron tras ellos. A muchos los mataron por el camino: les cortaban los brazos y las cabezas. Corrieron durante muchos kilómetros; querían llegar hasta el mar. Pero el Cid alcanzó al rey Búcar gracias a Babieca. Levantó su espada Colada y lo mató de un gran golpe, le metió el arma hasta la cintura.

Después le quitó su espada Tizona[160], que valía por lo menos mil marcos de oro. También aquella vez hubo grandes ganancias y con ellas todos fueron aún más ricos.

El Campeador vio venir a sus caballeros desde todas partes. Al llegar don Diego y don Fernando, los infantes de Carrión, el Cid les dijo:

—Venid aquí, hijos míos, sé que estáis contentos de luchar. Hasta Carrión van a llegar las noticias de esta batalla.

Entonces vino Alvar Fáñez; tenía sangre enemiga en la ropa, porque mató más de veinte moros.

—Tus yernos han peleado con valentía contra los moros —le dijo.

—Ya lo sé —contestó el Cid—. Y si ahora son buenos soldados, más adelante van a ser mejores.

---

160 Tizona: espada ganada por el Cid. Significa *la espada ardiente*. En la Armería Real de Madrid está la que parece ser la original.

El Cid lo dijo de verdad, pero ellos creyeron que era una burla.

* * *

Al llegar a Valencia se repartieron las ganancias. El Cid dio a cada uno su parte. Cada soldado se quedó con seiscientos marcos de plata, buenas pieles, mantos y otras cosas de gran valor. Los infantes de Carrión ganaron unos cinco mil marcos. Al ver tanto dinero, pensaron que ya eran ricos para siempre. El Cid se quedó con seiscientos caballos, algunos camellos[161] y otros animales.

El Campeador entró en casa con sus yernos y sus mejores caballeros. Salieron a recibirles doña Jimena y sus hijas.

—Aquí tenéis, yernos, a vuestras esposas, doña Elvira y doña Sol —dijo el Cid—. Abrazadlas y quereos de todo corazón. Sois grandes soldados y gracias a estas bodas vais a tener mucho dinero los dos.

—Gracias a Dios y a ti, Cid, hemos ganado a los moros y ahora tenemos mucha riqueza —contestó Fernando González, uno de los infantes—. Pero no queremos hablar más de eso.

Algunos vasallos oyeron lo que decían. Todos sabían que los infantes no querían hablar más de la batalla porque en realidad no eran tan valientes como pensaba

_____

161 camello: animal del desierto con dos jorobas en la espalda.

el Cid. Se reían y decían que era difícil saber cuál de los dos era mejor soldado porque no vieron luchar a ninguno.

Los infantes de Carrión oyeron estas risas y hablaron aparte.

—Es mejor irnos de aquí, vamos a Carrión. Tenemos riquezas para toda nuestra vida.

—Podemos decirle al Cid que nos llevamos a sus hijas a Carrión para ver nuestras casas y nuestras tierras. Después de sacarlas de Valencia, en el camino, podemos hacerles algún mal. ¡Escarnio[162] para las hijas del Cid Campeador!

—Con estas riquezas vamos a ser ricos para siempre y vamos a poder casarnos con hijas de reyes o emperadores[163], porque nosotros somos condes de Carrión.

Después Fernando González hizo callar a todos y le dijo al Cid:

—Si quieres, Cid, deseamos llevarnos a tus hijas a nuestras tierras de Carrión. Allí van a ver todo lo que tenemos y lo que va a ser para nuestros hijos.

El Cid contestó:

---

162 escarnio: burla que se hace para ofender a alguien.
163 emperador: aquí, rey de varios reinos.

—Os vais a llevar a mis hijas y también algo más. Vosotros les habéis dado tierras de Carrión, así que yo les voy a dar como ajuar[164] tres mil marcos de plata. Además os vais a llevar mulas, caballos buenos y fuertes, y muchos trajes de buena seda. También quiero entregaros dos espadas, Colada y Tizona, que las gané luchando como un hombre. Sois hijos míos y por eso os doy lo que más quiero en este mundo: a mis dos hijas. Cuidadlas bien, porque son vuestras mujeres.

Los infantes de Carrión le dijeron que eso querían hacer y en seguida empezaron a preparar su viaje. Cargaron[165] todo lo que el Cid les dio y se fueron. La despedida fue muy triste, todos lloraron; también los caballeros del Campeador. Entonces el Cid tuvo un mal agüero[166]: pensó que algo malo podía pasar en ese viaje, pero no podía hacer nada porque sus hijas ya estaban casadas con los infantes. Entonces llamó a su sobrino Félez Muñoz y le dijo:

—Eres primo de mis hijas, las quieres de corazón. Ve con ellas hasta el mismo Carrión. Mira las tierras y las casas y vuelve a darme noticias.

—Así lo voy a hacer.

* * *

---

164 ajuar: dinero y cosas de valor que lleva la mujer al casarse.
165 cargar: (aquí) poner todo el peso de algo sobre un animal.
166 tener mal agüero: que trae algo malo.

Comenzaron su viaje los infantes de Carrión. La primera noche la pasaron en tierras del moro Abengalbón, amigo del Cid, que los recibió con gran alegría. Les dio todo lo que quisieron y a la mañana siguiente cabalgó con ellos junto a doscientos caballeros suyos. Los infantes de Carrión vieron la riqueza del moro y dijeron:

—Podemos matar a Abengalbón y quedarnos con toda su riqueza.

Pero un moro oyó esto y se lo dijo a Abengalbón. Este fue a ver a los infantes con las armas en la mano y les dijo:

—No os voy a matar por nuestro Cid el de Vivar. Pero sabed que lo puedo hacer ahora mismo y devolver a sus hijas al Campeador. Decid, ¿qué os he hecho yo, infantes de Carrión? Os di todo y queréis mi muerte. Sois hombres malos y traidores[167].

Les dijo esto y después se volvió con sus hombres para su casa.

Los infantes de Carrión, sus mujeres y todos los acompañantes continuaron el viaje. Al llegar al robledo[168] de Corpes, lugar lleno de animales salvajes, donde los montes son muy altos y las ramas[169] de los árboles suben casi hasta las nubes, los infantes mandaron montar las tiendas para pasar allí la noche.

---

167 traidor: que engaña o hace daño a un amigo.
168 robledo: lugar lleno de robles (árboles fuertes y grandes).
169 rama: parte del árbol donde están las hojas.

A la mañana siguiente, los de Carrión les dijeron a sus acompañantes que querían cabalgar a solas con sus esposas. Todos se fueron hacia Carrión. Al quedarse los cuatro solos, los infantes les dijeron a sus mujeres:

—Podéis creerlo, doña Elvira y doña Sol, en estos montes vais a ser escarnecidas[170]. Nos vamos a ir y os vamos a dejar aquí abandonadas. No os vamos a dar vuestra parte de las tierras de Carrión. Estas noticias van a llegar a oídos del Cid Campeador y así nos vamos a vengar por la afrenta del león.

10.

Doble versión original del texto anterior

10.

Bien lo creades, don Eluira e donna Sol,
«Escuchadnos bien, esposas, doña Elvira y doña Sol:
Aqui seredes escarnidas en estos fieros montes.
vais a ser escarnecidas en estos montes las dos,
Oy nos partiremos e dexadas seredes de nos:
nos marcharemos dejándoos aquí a vosotras, y no
Non abredes part en tierras de Carrion.
tendréis parte en nuestras tierras del condado de Carrión.
Hyran aquestos mandados al Çid Campeador,
Luego con estas noticias irán al Campeador
Nos vengaremos aquesta por la del leon.
y quedaremos vengados por aquello del león».

Después les quitaron los vestidos y las dejaron casi desnudas[171]. Tomaron unas espuelas[172] de los caballos para pegarles. Al verlo, doña Sol les dijo:

---

170 escarnecida: persona que ha sufrido burla, afrenta.

171 desnudo: sin ropa.

172 espuela: objeto de metal que sirve para golpear al caballo con el pie y así corre más.

—Os lo rogamos por Dios, don Diego y don Fernando. Tenéis dos espadas grandes y fuertes, Colada y Tizona, cortadnos con ellas las cabezas. Para nosotras eso es mejor que pegarnos con las espuelas. El rey os va a llamar a juicio[173] por esto que vais a hacer.

Los infantes no les hicieron caso y empezaron a pegarles hasta romperles[174] las ropas y herirlas en todo el cuerpo. Les dieron grandes golpes y las mujeres acabaron sin fuerzas y ensangrentadas[175]. Al ver que doña Elvira y doña Sol ya no hablaban, los infantes de Carrión las dejaron por muertas allí, en el robledo de Corpes. Después se fueron de aquel lugar mientras decían:

—No merecían ser nuestras esposas. De esta manera nos hemos vengado de la deshonra del león.

* * *

Mientras tanto, Félez Muñoz, el sobrino al que el Cid mandó acompañar a sus hijas hasta Carrión, no estaba tranquilo sabiendo que sus primas iban solas con los infantes. Por eso, se escondió en un bosque para esperarlas. Al ver llegar solos a los infantes de Carrión, escuchó lo que decían. Después los vio irse por otro lado.

Félez Muñoz volvió hacia atrás y encontró a sus primas casi muertas. Se bajó del caballo y fue hacia ellas diciendo:

---

173 juicio: acto en que una persona dice si otra ha hecho bien o mal.
174 romper: hacer dos o más trozos de una cosa.
175 ensangrentada: llena de sangre.

—¡Primas, primas! Mala cosa hicieron estos de Carrión. Dios les va a dar su castigo. ¡Despertad, primas, por amor de Dios!

Doña Elvira y doña Sol volvieron en sí, abrieron los ojos y vieron a Félez Muñoz.

—Vamos, primas, por favor —volvió a decir— que si llega la noche vamos a morir todos en este bosque lleno de fieras[176].

Félez Muñoz puso agua en su sombrero y dio de beber a las dos mujeres. Al final se levantaron y subieron al caballo. Él las cubrió[177] con su manto y se fueron de allí.

Al anochecer llegaron a San Esteban de Gormaz[178] y allí se quedaron los tres hasta que ellas estuvieron mejor. Las noticias llegaron hasta Valencia y cuando se lo dijeron a nuestro Cid Campeador, este pensó durante un largo tiempo cuál podía ser su decisión. Después levantó la mano, se tocó la barba y dijo:

—Los infantes de Carrión no van a deshonrarme[179] de esta manera. Voy a volver a casar a mis hijas y, además, mucho mejor. Lo digo por esta barba, que nadie me ha mesado[180].

---

176 fiera: animal salvaje.
177 cubrir: poner una cosa encima de otra.
178 San Esteban de Gormaz: pueblo en la provincia de Soria (Comunidad de Castilla y León).
179 deshonrar: perder la honra.
180 mesar: quitar los pelos de la barba con las manos.

Nuestro Cid sintió gran pena y Alvar Fáñez lo sintió de corazón. Después mandó a doscientos caballeros a San Esteban de Gormaz para traer a sus hijas hasta Valencia. Entre ellos iban Alvar Fáñez, Pedro Bermúdez y Martín Antolínez. Cabalgaron de día y de noche y, al llegar a San Esteban, fueron a ver a doña Elvira y doña Sol. Estas los recibieron llorando.

—Os damos las gracias. Si estamos vivas todavía es gracias a Dios. En Valencia os podemos contar todo lo que ha pasado.

Alvar Fáñez y ellas empezaron a llorar. Y Pedro Bermúdez lo sintió mucho también:

—No lloréis más, estáis vivas y sin mal. Habéis perdido un buen casamiento, pero sin duda vais a ganar otro mejor. Algún día nos vamos a vengar de ellos.

Aquella noche durmieron todos en San Esteban y al día siguiente salieron para Valencia. Tres días duró el viaje y el Cid salió a recibirlos. Abrazó y besó a sus hijas con gran alegría y después las llevó con su madre doña Jimena.

* * *

El que en buena hora nació reunió a los suyos y hablaron en secreto de lo que pasó. Al final, el Cid pensó enviar a uno de sus vasallos a Castilla para contárselo todo al rey.

—Muño Gustioz, gran vasallo y amigo, lleva el mensaje al rey Alfonso y explícale la deshonra que me han hecho los infantes de Carrión. Él casó a mis hijas, por eso dile que tiene que llamar a juicio a los infantes.

Muño Gustioz salió rápido con dos caballeros más y algunos escuderos[181]. Cabalgaron de día y de noche hasta encontrar al rey en Sahagún[182]. Al verlo, don Alfonso lo conoció y lo recibió con alegría. Muño Gustioz de rodillas le dijo:

—El Cid le besa las manos y los pies, rey Alfonso. Usted casó a sus hijas con los infantes de Carrión y creo que ya sabe la deshonra que les han hecho. Las desnudaron, les pegaron con espuelas y después las dejaron por muertas en el robledo de Corpes. Ahora están con él en Valencia y le pide justicia contra los infantes de Carrión.

El rey estuvo callado y pensando durante largo rato. Después respondió:

—Esto me pesa de corazón[183], Muño Gustioz, porque es verdad que yo casé a sus hijas con los infantes de Carrión. Lo hice por su bien, pero ahora siento dolor. Voy a ayudar al Cid y se va a hacer justicia. Voy a reunir

---

181 escudero: persona que acompaña a un caballero, le lleva las armas y trabaja para él.

182 Sahagún: pueblo en la provincia de León (Comunidad de Castilla y León) con un importante monasterio.

183 pesar de corazón: estar muy triste.

las Cortes[184] en Toledo y mandar llamar a los infantes de Carrión. Dile al Cid que de aquí a siete semanas lo espero en Toledo con sus vasallos.

11.

11.   Doble versión original del texto anterior

El rey vna grand ora callo e comidio:
   Muy callado y pensativo un rato el rey se quedó:
Verdad te digo yo, que me pesa de coraçon.
   «Verdad te digo que esto pésame de corazón
E verdad dizes en esto, tu, Munno Gustioz:
   en eso que tú me has dicho veo que tienes razón;
Ca yo case sus fijas con ynfantes de Carrion:
   yo fui quien casó a sus hijas con infantes de Carrión,
Fiz lo por bien que fuesse a su pro:
   por su provecho lo hice, que su bien quería yo.
Si quier el casamiento fecho non fuesse oy!
   ¡Ojalá que tales bodas no se hicieran nunca, no!
Entre yo e Myo Çid pesa nos de coraçon.
   Tanto como Mío Cid pésame de corazón,
Aiudar le a derecho, sin salue el Criador,
   les mantendré en su derecho, por que así me valga Dios.
Lo que non cuydaua fer de toda esta sazon.
   Nunca había yo creído que le hicieran tal acción.
Andaran myos porteros por todo myo reyno,
   Que corran mis pregoneros por mis reinos mando yo,
Pregonaran mi cort pora dentro en Tolledo,
   que en la ciudad de Toledo convoquen a reunión
Que alla me vayan cuendes e ynfançones.
   de cortes, y a todos llamen, al conde y al infanzón;
Mandare commo y vayan ynfantes de Carrion:
   allí mandaré que acudan los infantes de Carrión
E commo den derecho a Myo Çid el Campeador,
   y que justicia le hagan a Mío Cid Campeador.

---

184 Cortes: aquí, y en la Edad Media, tribunales de justicia.

E que non aya rencura podiendo yo vedallo.
No ha de quedar resentido si puedo evitarlo yo.
Dezid le al Campeador que en buen ora nasco:
Vos, Muño Gustioz, decidle a Mío Cid bienhadado
Que destas VII semanas adobes con sus vassallos,
que se puede preparar a venir con sus vasallos
Vengam a Tolledo, estol do de plazo.
a Toledo y que le doy siete semanas de plazo.
Por amor de Myo Çid esta cort yo fago.
Por amor de Mío Cid esas cortes yo las hago».

Muño Gustioz se despidió y volvió a Valencia. El rey Alfonso el Castellano envió cartas a León y a Santiago[185], a los portugueses y a los gallegos y también a los infantes de Carrión y a los barones[186] castellanos. A todos les mandaba ir a Toledo pasadas siete semanas.

Cuando los infantes de Carrión supieron que don Alfonso iba a reunir la corte en Toledo, tuvieron miedo. Sabían que el Cid iba a estar allí y no querían ir. Se lo dijeron al rey y este les respondió:

—Sí, vais a ir y allí os vais a ver con el Cid, porque pide justicia contra vosotros. Si no estáis en Toledo en siete semanas, os voy a echar de mi reino.

Los infantes pues pidieron ayuda a sus parientes. Entre ellos estaban Gonzalo Asúrez, su padre, Asur Gonzá-

---

185 Santiago: Santiago de Compostela, ciudad de La Coruña y actual capital de la Comunidad de Galicia. Allí está enterrado el apóstol Santiago.
186 barón: noble, persona importante.

lez, su hermano, y también el conde don García Ordóñez, enemigo del Cid.

Al llegar el día de las cortes, el buen rey don Alfonso
vino con los condes don Enrique, don Raimundo, don
Beltrán y don Froila Díaz, hermano de doña Jimena.
También fueron otros muchos hombres sabios de toda
Castilla. Se reunieron gentes de todas partes y allí espe-
raron al Cid.

Al quinto día llegó el Campeador con los suyos y el
rey don Alfonso salió a recibirlos junto con algunos de
sus vasallos. El Cid bajó de su caballo para ponerse
de rodillas delante del rey, pero este no le dejó.

—Hoy ya no, Cid. Ponte de pie y nos vamos a salu-
dar con el alma y el corazón —dijo el rey—. Lo que a ti
te ha pasado, a mí me pesa de corazón.

Entonces el Cid, el leal Campeador le besó la mano
y se abrazaron.

El Cid y sus hombres pasaron aquella noche fuera de
la ciudad. Por la mañana fueron a misa y después se prepararon para entrar en Toledo.

Con él iban sus cien mejores vasallos y también
Malanda, que era un hombre muy sabio. Todos iban
bien vestidos, con lorigas[187] blancas como el sol, y sobre
ellas buenos mantos de pieles que tapaban las armas. El

---

187 loriga: traje hecho con pequeños trozos de metal.

Cid llevaba una camisa con oro y plata, y encima un manto de seda con cintas también de oro.

Al verlos entrar por las puertas de la ciudad, el buen rey don Alfonso se puso en pie y a continuación todos los demás, menos el conde don García Ordóñez y los del bando[188] de los infantes de Carrión. Entonces el rey dijo:

—Ven y siéntate en mi asiento, Cid Campeador. Yo sé que a algunos no les gusta, pero eres mucho mejor que nosotros.

—Quédese donde está —respondió el Cid—, porque usted es el rey y nuestro señor. Yo me siento aquí, junto a los míos.

Todos miraban al Cid, menos los infantes de Carrión, porque sentían mucha vergüenza[189]. Entonces se levantó el rey y empezó a hablar:

—¡Oídme todos, en el nombre de Dios! Esta es la tercera corte que reúno y lo hago por el amor que le tengo al Cid Ruy Díaz. Los infantes de Carrión han hecho gran afrenta contra él y estamos aquí para solucionarlo. Los alcaldes[190] de estas cortes van a ser los condes don Enrique y don Raimundo y también estos otros condes que conocen el derecho[191], que no sois del bando

---

188 bando: aquí, conjunto de personas enemigas de otras.
189 sentir vergüenza: tener poco amor por uno mismo por hacer algo malo.
190 alcalde: aquí, juez (persona que dice si alguien ha hecho bien o mal).
191 derecho: conjunto de leyes o normas para la relación entre los hombres.

de Carrión. Escuchad todos bien y haced justicia. Ahora oigamos lo que dice el Cid Campeador.

Entonces se levantó el Cid, besó la mano del rey y dijo:

—Gracias mi rey y mi señor. Esto es lo que pido a los infantes de Carrión: primero mis espadas Colada y Tizona, que gané como buen soldado. Se las di al casarse con mis hijas, pero las abandonaron en el robledo de Corpes, ahora ya no los tengo como yernos.

—Tiene razón —dijeron los alcaldes.

—Esto tenemos que hablarlo entre nosotros y en secreto —respondió el conde don García.

Los infantes de Carrión salieron con todos sus parientes y se pusieron de acuerdo:

—Démosle sus espadas, si eso es todo lo que quiere. Después se acaba la corte y ya no va a pedir nada más.

A continuación volvieron donde estaban todos y dijeron:

—No podemos negar[192] que nos dio estas espadas, por eso se las devolvemos delante de usted, rey don Alfonso.

---

192 negar: decir no.

Sacaron las espadas y relumbró[193] toda la corte, porque eran de oro. Al verlas, todos se maravillaron. El Cid las tomó y las miró lentamente. Se alegró mucho y sonrió. Después se tocó su barba y dijo:

—Por esta barba, que nunca nadie mesó, poco a poco voy a vengar a doña Elvira y doña Sol.

Entonces, le dio Tizona a su sobrino don Pedro Bermúdez y Colada a su gran amigo Martín Antolínez y continuó hablando:

—Ya tengo mis espadas, pero ahora pido otra cosa a los infantes de Carrión. Al irse de Valencia con mis hijas les di tres mil marcos en oro y en plata. Ahora ya no son mis yernos y deben devolverme mi dinero.

Los infantes empezaron a quejarse[194].

—¿Es eso verdad, sí o no? —dijo el conde don Raimundo.

—Ya le hemos dado sus espadas —contestaron los infantes—. Ya no puede pedirnos nada más.

—Nosotros decimos que tenéis que dárselos —dijo el conde don Raimundo.

—Y así también lo digo yo —dijo el buen rey.

---

193 relumbrar: brillar, dar mucha luz.
194 quejarse: protestar, manifestar que no se está de acuerdo con algo.

De nuevo salieron de allí los infantes de Carrión. Esta vez tardaron en ponerse de acuerdo, porque el Cid pedía mucho dinero y ellos ya no lo tenían. Volviendo a la corte y dijeron:

—Mucho nos pide el Cid, por eso le vamos a pagar con nuestras tierras de Carrión.

—Si así lo acepta él, podéis hacerlo —dijeron los alcaldes—. Pero debéis pagarle ahora y aquí delante.

Al oír estas palabras habló el rey don Alfonso:

—De esos tres mil marcos, yo recibí de los infantes de Carrión doscientos. Como ellos no tienen dinero, yo se los doy al Cid.

El resto del dinero lo pagaron con buenos caballos, grandes mulas y muchas espadas.

El Cid tomó todo aquello y se lo dio a sus hombres. Pero después siguió hablando:

—Pero todavía hay una afrenta mayor. Oídme toda la corte: reto[195] a los infantes de Carrión por la deshonra que me han hecho. Decidme, ¿qué mal os hice, infantes de Carrión? Si no amabais a mis hijas, traidores, ¿por qué las llevasteis de Valencia? ¿Por qué las heristeis con espuelas? Las abandonasteis en el robledo de Corpes,

---

195 retar: provocar. Indicar a una persona que se quiere pelear con ella.

con las fieras salvajes. Gran afrenta es esta. Contestad. Esta corte va a hacer justicia.

El conde don García Ordóñez se puso de pie y dijo:

—Los infantes de Carrión son importantes señores, no merecían mujeres como ellas. Así que tenían derecho a hacer eso.

—Ya te hemos pagado lo que nos has pedido, ahora déjalo ya —dijo Fernando González—. Nosotros somos condes de Carrión y tenemos que casarnos con hijas de reyes o emperadores, no con hijas de infanzones como tú.

El Cid Ruy Díaz miró a Pedro Bermúdez y le dijo:

—Habla tú, Pedro Bermúdez, porque mis hijas son primas tuyas y si respondo yo, tú no vas a poder hacer el reto.

Pedro Bermúdez empezó a hablar:

—Mientes[196], Fernando, porque el Cid vale mucho más que tú. ¿Ya no te acuerdas de la batalla en Valencia? Saliste corriendo al ver a aquel moro que venía por ti. Yo lo maté. Después te di su caballo y no se lo dije a nadie. Eres guapo y elegante, pero no te gusta luchar. ¿No te acuerdas tampoco de lo que pasó con el león? El Cid estaba durmiendo y se desató el animal. ¿Qué

---

196 mentir: no decir la verdad.

hiciste tú? Tenías mucho miedo y te metiste debajo de la cama del Cid. Entonces él tomó al león por la cabeza y lo volvió a atar. Por todo ello, vales mucho menos que él. Yo te reto, Fernando, por malo y por traidor. Vamos a pelear aquí, delante del rey don Alfonso, por las hijas del Cid, doña Elvira y doña Sol. Ellas son mujeres y vosotros hombres, pero valéis menos que ellas, porque las abandonasteis en el robledo de Corpes. **12.**

12. Doble versión original del texto anterior

Mientes Ferrando de quanto dicho has:
Mientes, infante Fernando en eso que fuiste a hablar,
Por el Campeador mucho valiestes mas:
gracias al Campeador valías tu mucho más.
Las tus mannas yo te las sabre contar:
Ahora tus mañas y tretas aquí las voy contar:
Miembrat quando lidiamos çerca Valençia la grand.
recuerda cuando en Valencia tuvimos que pelear;
Pedist las feridas primeras al Campeador leal:
el honor de ser primero le pediste al Cid leal,
Vist vn moro, fustel ensayar: antes fuxiste que al te alegasses.
al primer moro que viste le querías atacar,
pero antes de que se acerque ya te echabas a escapar.
Si yo non vujas el moro te jugara mal.
Si no estoy yo allí, Fernando, hubieras salido mal;
Passe por ti con el moro me off de aiuntar:
arranco en busca del moro y tú te quedas atrás,
De los primeros colpes of le de arrancar:
a mis primeras lanzadas el moro vencido está,
Did el cauallo, toueldo en poridat:
el caballo le quité, a ti te lo fui a entregar,
Fasta este dia no lo descubri a nadi.
hasta este día de hoy no se lo dije a mortal.
Delant Myo Çid, e delante todos oviste te de alabar,
De aquella muerte del moro ante el Cid y los demás

Que mataras el moro e que fizieras barnax.

como de proeza tuya bien te supiste alabar,

Crouieron telo todos, mas non saben la verdad:

y todos te lo creyeron, que ignoraban la verdad.

E eres fermoso, mas mal varragan:

En ti aunque seas hermoso, lo cobarde puede más.

Lengua sin manos, cuemo osas fablar?

Fernando, lengua sin manos, ¿cómo te atreves a hablar?

Di Ferrando, otorga esta razon:

Dime, Fernando González, contéstame a esta razón:

Non te viene en miente en Valençia lo del leon,

¿No te acuerdas de Valencia, de aquel lance del león,

Quando durmie Myo Çid e el leon se desato?

cuando estaba el Cid dormido y la fiera se soltó?

E tu Ferrando que fizist con el pauor?

¿No te acuerdas, dí, Fernando, qué hiciste con el pavor?

Metistet tras el escanno de Myo Çid el Campeador:

Meterte bajo el escaño de Mío Cid Campeador,

Metistet Ferrando, poro menos vales oy.

allí te entraste, Fernando, mucho has perdido en valor.

Nos çercamos el escanno por curiar nuestro sennor

El escaño rodeamos guardando a nuestro señor,

Fasta do desperto Myo Çid el que Valençia gano.

hasta que fue a despertarse el que Valencia ganó,

Leuantos del escanno e fues poral leon:

se levanta del escaño, se encamina hacia el león,

El leon premio la cabeça, a Myo Çid espero,

la fiera dobla la testa, a Mío Cid aguardó,

Dexos le prender al cuelo, e a la red le metio.

se dejó coger del cuello, en la jaula le metió.

Quando se torno el buen Campeador

Cuando se vuelve a la cámara el buen Cid Campeador

A sos vassallos, violos aderredor.

vio que todos sus vasallos estaban alrededor;

Demando por sus yernos, e ninguno non fallo.

por sus dos yernos pregunta, pero a ninguno encontró.

Riebtot el cuerpo por malo e por traydor.

A ti, en persona, te reto porque eres malo y traidor,

Estot lidiare aqui antel rey don Alfonsso

delante del rey Alfonso quiero sostenerlo yo

Por fijas del Çid don Eluira e donna Sol:

por las dos hijas del Cid, doña Elvira y doña Sol,

Por quanto las dexastes menos valedes vos.

Porque allí os las dejasteis, hoy menos valéis los dos

Ellas son mugieres, e vos sodes varones:

y aunque varones seáis y ellas dos mujeres son,

En todas guisas mas valen que vos.

de todas maneras ellas valen mucho más que vos.

—Nosotros somos condes —contestó entonces Diego González— y no nos arrepentimos de nada. Yo voy a pelear con el más valiente.

—¡Calla, mentiroso! —gritó Martín Antolínez—. ¿Tú tampoco te acuerdas de lo del león? Aquel día saliste por la puerta y te metiste en el corral. Voy a pelear contigo, por traidor y no decir la verdad.

En ese momento entró Asur González, hermano de los infantes. Tenía la cara roja, porque acababa de comer. Se acercó y dijo:

—¿Quién es ese Cid el de Vivar? Solo es un infanzón. No tenía derecho a casar a sus hijas con los de Carrión.

—¡Calla, traidor! —gritó Muño Gustioz poniéndose de pie—. Comes antes de ir a misa y además mientes ante todos y ante Dios. Te vas a arrepentir de lo que has dicho.

—¡Es suficiente! —dijo el rey Alfonso—. Los que se han retado tienen que pelear.

En ese momento entraron dos caballeros. Uno se llamaba Ojarra y el otro Íñigo Jiménez. Besaron las manos al rey don Alfonso y le dieron un mensaje al Cid Campeador de parte de los infantes de Navarra y de Aragón. Querían casarse con doña Elvira y doña Sol y hacerlas reinas de Navarra y de Aragón. El Cid se levantó y respondió:

—Doy gracias a Dios porque desde Navarra y Aragón me piden a mis hijas. Usted ya las casó antes, rey Alfonso, y ahora vuelven a estar en sus manos[197]. Tome usted la decisión.

—Cid Campeador, si eso quieres, estoy de acuerdo. Con esos casamientos va a crecer tu honra, tu tierra y tu riqueza.

Ojarra e Íñigo Jiménez besaron las manos del rey don Alfonso y del Cid. Todos se alegraron, excepto los infantes de Carrión. Entonces se levantó Minaya y dijo:

—Todavía no he hablado. Quiero preguntar al rey si puedo hacerlo ahora.

---

197 estar en sus manos: expresión que significa *depender de alguien*.

—Habla, Minaya —contestó el rey.

—Yo entregué a mis primas a los infantes de Carrión en nombre del rey Alfonso, y ellos las tomaron por esposas. Por eso, después de lo que hicieron con ellas, quiero retarles en persona por malos y por traidores. Antes podíais abrazarlas como esposas, pero ahora vais a tener que besarles las manos y servirlas como a señoras, porque se van a casar con los infantes de Navarra y de Aragón. Si alguno me contesta que no, tiene que saber que soy Alvar Fáñez, el mejor para todo.

Gómez Peláez se levantó:

—En esta corte hay muchos que te pueden decir que no, Minaya. Después vas a ver si has dicho o no la verdad.

—Se terminó la discusión[198] —dijo el rey—. Mañana, a la salida del sol, van pelear los que se retaron.

Los infantes de Carrión hablaron al rey:

—Mañana no es posible, señor. Necesitamos más tiempo. Nuestras armas y caballos los tiene el Campeador. Tenemos que ir a las tierras de Carrión.

El rey habló entonces a nuestro Cid Campeador:

—¿Estás de acuerdo?

---

198 discusión: conversación.

—El reto puede ser en Carrión, pero prefiero no ir.

—Está bien, dame tus caballeros con sus armas. Voy a cuidar de ellos. El reto va a ser en Carrión dentro de tres semanas, delante de mí. Si alguno no viene va a ser perdedor y traidor.

El Cid se despidió de los condes don Enrique y don Ramón. Los abrazó y les dio algunas de sus riquezas. Además no quiso tomar los doscientos marcos del rey. Después se preparó para irse y don Alfonso lo acompañó junto con los mejores de sus caballeros hasta fuera de Toledo. Pero antes de despedirse, quiso ver al Cid cabalgar sobre su caballo. Todos se maravillaron con Babieca y el rey se santiguó.

—En todas mis tierras —dijo— no hay mejor caballero.

Entonces el Cid fue hacia él sobre su caballo y le dijo:

—Tome a Babieca, señor.

—No puedo hacerlo —contestó el rey—. Un caballo como este es para un hombre como tú.

Así se despidieron y antes de dejar a sus hombres, el Cid quiso hablar con ellos.

—Martín Antolínez, Pedro Bermúdez y Muño Gustioz, sed buenos soldados en el campo del reto —les dijo—. Espero oír buenas noticias de vosotros en Valencia.

—Nos gusta el reto y lo vamos a hacer bien —respondió Martín Antolínez—. Es mejor morir que perder.

El Cid se alegró al oír aquellas palabras y después se despidió de todos sus amigos.

* * *

Tres semanas más tarde llegaron a Carrión los hombres del Cid Campeador. Allí esperaron dos días a los infantes. Estos llegaron con sus parientes, bien preparados, con caballos y buenas armas. Pensaron que si apartaban[199] a los caballeros del Cid de la vista del rey, podían matarlos entre todos. Pero tuvieron miedo del rey don Alfonso y no lo hicieron. Aquella noche la pasaron todos velando las armas[200] y rogando a Dios.

A la mañana siguiente se reunieron muchos hombres ricos e importantes para ver el reto, entre ellos, el rey don Alfonso. Los tres vasallos del buen Campeador ya estaban preparados. Los infantes de Carrión vieron que llevaban las espadas Colada y Tizona y tuvieron miedo. El rey lo supo y les dijo:

—Salid al campo, infantes de Carrión, y pelead como hombres. Todo el mundo sabe que sois unos traidores.

Salieron al campo de batalla y el rey habló en voz alta:

199 apartar: llevar lejos, a otro lugar.
200 velar las armas: pasar la noche sin dormir para cuidar las armas (se hacía la noche antes de una batalla).

—Oíd lo que digo, infantes de Carrión. No hicimos este reto en Toledo porque elegisteis Carrión. Haced las cosas bien, sin traición[201].

Entonces, el rey y sus ayudantes pusieron en el suelo unas señales y dijeron:

—Si alguno sale del lugar señalado, pierde.

Todo el mundo se fue del campo y dejaron allí a los luchadores. Estos tomaron fuertemente los escudos y los pusieron delante sus cuerpos para protegerse. Bajaron las lanzas y empezaron a cabalgar sobre sus caballos. Cada uno miró a su enemigo y atacaron.

Pedro Bermúdez con Fernando González. Este le dio un golpe con fuerza y le rompió el escudo, pero no le hirió. Entonces Pedro Bermúdez le metió la lanza por el pecho[202] y Fernando cayó a tierra sangrando por la boca y herido de muerte. Pedro Bermúdez dejó la lanza y tomó su espada. Fernando González vio que era Tizona y gritó: ¡Vencido estoy! Pedro Bermúdez le perdonó.

Martín Antolínez y Diego González se atacaron también con lanzas. Se golpearon con gran fuerza hasta romperlas. Martín Antolínez tomó entonces su espada y le dio un fuerte golpe en la cabeza. Le rompió el casco[203] y le hizo una herida profunda. Después volvió a golpear-

---

201 traición: daño hecho a una persona que no lo esperaba.
202 pecho: parte superior del tronco en el cuerpo humano.
203 casco: pieza de metal que se pone en la cabeza.

le con la Colada y Diego González huyó del campo con su caballo mientras gritaba: ¡Dios mío, ayúdame! El rey dio por vencedor[204] a Martín Antolínez.

Muño Gustioz y Asur González se golpearon fuertemente en los escudos. El hermano de los infantes rompió el de su enemigo, pero no le hirió. Entonces este respondió con otro golpe hiriéndolo, pero no le llegó al corazón. Le metió la lanza en el cuerpo y cayó del caballo. Sacó la lanza roja de sangre y todos pensaron que Asur González estaba herido de muerte. Entonces Gonzalo Asúrez, padre de los infantes, gritó: ¡No le mates, por Dios. Vencido está!

El reto terminó y todos dejaron el campo. El rey dio por vencedores a los vasallos del Cid y se despidió de ellos. En las tierras de Carrión se quedó el dolor y la tristeza. **13.**

13.   Doble versión original del texto anterior

Mando librar el campo el buen rey don Alfonsso.
Que despejaran el campo el rey Alfonso mandó,
Las armas que y rastaron el se las tomo.
las armas que allí quedaron él para sí las tomó.
Por ondrados se parten los del buen Campeador:
Se van como muy honrados los tres del Campeador,
Vençieron esta lid, grado al Criador.
que ya han ganado esta lucha, por gracia del Creador.
Grandes son los pesares por tierras de Carrion.
Muy grandes son los pesares por las tierras de Carrión.

* * *

---

204 vencedor: que gana la pelea, la batalla, etc.

Al llegar a Valencia, el Cid Campeador los recibió con gran alegría porque cumplieron[205] lo que él les mandó y dejaron en deshonra a los infantes de Carrión.

Después los reunió a todos y, acariciándose la barba, dijo:

—Gracias a Dios, mis hijas han sido vengadas. Ahora están libres de los infantes de Carrión y puedo casarlas de nuevo sin vergüenza.

Poco después doña Elvira y doña Sol se casaron con los infantes de Navarra y de Aragón. Las primeras bodas fueron grandes, pero estas aún fueron mejores, porque con ellas las hijas del Cid ganaron mayor honra. Ahora los reyes de España son parientes del Cid Campeador, que en buena hora nació.

14.

---

14.   Doble versión original del texto anterior

Prisos a la barba Ruy Diaz so sennor:
   La barba se acariciaba don Rodrigo, su señor:
Grado al rey del çielo, mis fijas vengadas son.
   «Gracias al rey de los cielos mis hijas vengadas son,
Agora las ayan quitas heredades de Carrion:
   ya están limpias de la afrenta esas tierras de Carrión.
Sin vergüença las casare o a qui pese o a qui non.
   Casaré, pese a quien pese, ya sin vergüenza a las dos».
Andidieron en pleytos los de Nauarra e de Aragon:
   Ya comenzaron los tratos con Navarra y Aragón,

---

205 cumplir: aquí, hacer una persona lo que tenía que hacer.

Ouieron su aiunta con Alfonsso el de Leon:
  y todos tuvieron junta con Alfonso, el de León.
Fizieron sus casamientos con don Eluira e con donna Sol.
  Sus casamientos hicieron doña Elvira y doña Sol,
Los primeros fueron grandes, mas aquestos son miiores.
  los primeros fueron grandes pero estos son aún mejor,
A mayor ondra las casa que lo que primero fue.
  y a mayor honra se casan que con esos de Carrión.
Ved qual ondra creçe al que en buen ora naçio,
  Ved cómo crece en honores el que en buenhora nació,
Quando sennoras son sus fijas de Nauarra e de Aragon.
  que son sus hijas señoras de Navarra y Aragón.
Oy los reyes despanna sos parientes son.
  Esos dos reyes de España ya parientes suyos son.

ACTIVIDADES

Aquí tienes dos fragmentos del *Cantar de Mío Cid*: texto adaptado y en versión original. Léelos y responde a las preguntas.

Fragmento 1.

Texto adaptado

Rodrigo Díaz, el Cid, salía de Vivar sobre su caballo y al volver la cabeza para mirar su casa y sus tierras lloraba diciendo:

—¡Oh, Señor, esto me han hecho mis enemigos malos!

Junto a él iban cerca de sesenta hombres y entre ellos su gran amigo Minaya Alvar Fáñez. Movió los hombros y la cabeza y le dijo:

—¡Alvar Fáñez, nos han echado de nuestra tierra, pero pronto vamos a volver con mucha más honra!

Al entrar en Burgos muchas mujeres y hombres salían a la calle o sacaban las cabezas por las ventanas para verlo. Todos lloraban de dolor y decían:

—¡Qué buen vasallo, pero no tiene buen señor!

1. ¿Por qué llora el Cid?
2. ¿Con quién va el Cid?
3. ¿Qué sienten los habitantes de Burgos?
4. Observa las palabras subrayadas en la versión original y marca su equivalente en el texto adaptado.

Versión original

Los ojos de Mío Cid mucho llanto van llorando;
hacia atrás vuelve la vista y se quedaba mirándolos.
Vio como estaban las puertas abiertas y sin candados,
vacías quedan las perchas ni con pieles ni con mantos,
sin halcones de cazar y sin azores mudados.
Suspiró entonces el Cid, que eran grandes sus cuidados.
Y habló, como siempre habla, tan justo tan mesurado:
«¡Bendito seas, Dios mío, Padre que estás en lo alto!
Contra mí tramaron esto mis enemigos malvados».
Ya aguijan a los caballos, ya les soltaron las riendas.
Cuando salen de Vivar ven la corneja a la diestra,
pero al ir a entrar en Burgos la llevaban a su izquierda.
Movió Mío Cid los hombros y sacudió la cabeza:
«¡Ánimo, Álvar Fáñez, ánimo, de nuestra tierra nos echan!».
Ya por la ciudad de Burgos el Cid Ruy Díaz entró.
Sesenta pendones lleva detrás el Campeador.
Todos salían a verle, niño, mujer y varón,
a las ventanas de Burgos mucha gente se asomó.
¡Cuántos ojos que lloraban de grande que era el dolor!
Y de los labios de todos sale la misma razón:
«¡Qué buen vasallo sería si tuviese buen señor!».

Fragmento 2.

Texto adaptado

Al llegar a Castilla encontró al rey a la salida de la iglesia. Puso las rodillas en el suelo delante de él y le dijo:

—¡Señor don Alfonso, por el amor de Dios! Nuestro Cid le besa las manos y los pies. Usted le echó de Castilla, pero él hace cosas buenas en tierra de moros: ha ganado muchas batallas y ahora es señor de Valencia. Además ha hecho un obispado. Tiene muchas riquezas, por eso en su nombre le doy estos cien caballos, que son fuertes y corren mucho. Para el Cid usted todavía es su señor y él se siente su vasallo.

1. En este fragmento Minaya habla con el rey don Alfonso. ¿Dónde se encuentra con él?
2. El Cid quiere el perdón del rey y volver a Castilla, por eso ha hecho cosas muy buenas. ¿Cuáles son?
3. ¿Qué le regala el Cid al rey?
4. Observa las palabras subrayadas en la versión original y marca su equivalente en el texto adaptado.

Versión original

Don Alfonso el castellano de <u>misa</u> estaba saliendo.
He aquí a Minaya Álvar Fáñez cómo llega tan apuesto,
las dos rodillas ha hincado delante de todo el pueblo,
y a los pies del rey Alfonso púsose con mucho duelo,
las dos manos le besaba, y empezó a hablar, tan discreto:
«Merced, nuestro rey Alfonso, por amor del <u>Creador</u>.
Estas manos os las besa Mío Cid el luchador,
que le hagáis merced os pide, válgaos el Creador.
Los pies os besa y las manos cual cumple a tan gran señor.
Vos, rey, le habéis desterrado, le quitasteis vuestro amor,
pero aunque está en tierra extraña el Cid su deber cumplió,
a esos pueblos que se llaman Jérica y Onda ganó,
Almenar ha conquistado, Murviedro, que es aún mayor,
a Cebolla gana luego y el pueblo de Castejón,
Peña Cadiella, la villa que está en un fuerte peñón;
con todas estas ciudades ya de Valencia es señor.
Obispo hizo por su mano Mío Cid Campeador,
cinco batallas campales libra y todas las ganó.
<u>Grandes fueron las ganancias</u> que le ha dado el Creador,
aquí tenéis las señales, la verdad os digo yo.
Estos cien gruesos caballos <u>buenos corredores son</u>,
de ricos frenos y sillas todos llevan guarnición,
Mío Cid, señor, os ruega que los toméis para vos,
que es siempre vuestro vasallo y os tiene por señor».

Redactas un texto

• Haz una descripción del Cid Campeador tal y como lo presentan en el *Cantar*. Ten en cuenta su aspecto físico y los diferentes aspectos de personalidad: el soldado, el padre, el amigo, el vasallo del rey, etc.

Escribes tu opinión

• La honra es uno de los temas más importantes de esta obra. Al principio el Cid pierde su honra y después quiere recuperarla. ¿Qué es la honra para ti? ¿Crees que la honra es importante en el mundo actual?

• ¿Qué sabes de la Edad Media? ¿Es interesante esta época? Justifica tu respuesta.

• ¿Qué opinas sobre el *Cantar de Mío Cid*? ¿Qué te ha gustado más y qué te ha gustado menos? Explica por qué.

DICCIONARIO

Traduce a tu lengua

abrigo (el) ....

a solas ....

abad, -esa (el, la) ....

abandonado, a ....

abandonar ....

abrazar ....

acercar ....

acompañante ....

acompañar ....

acordarse ....

acuerdo (el) ....

acusar ....

adelante ....

afrenta (la) ....

agradecer ....

agradecido, a ....

agüero (el) ....

ajuar (el) ....

al cabo de ....

alcalde (el) ....

alcanzar ....

alcázar (el) ....

alegrar ....

alegre ....

alegría (la) ....

alma (el) ....

alrededor ....

andar ....

anoche ....

anochecer ....

aparecer ....

apartar ....

aparte ....

arca (el) ....

arena (la) ....

arma (el) ....

armar ....

arrancar ....

arrepentirse ....

asiento (el) ....

asomar ....

atacar ....

atalaya (el) ....

atar ....

atrás ....

atreverse ....

ave (el) ....

ayuda (la) ....

ayudante (el, la) ....

ayudar ....

bandera (la) ....

bando (el) ....

barba (la) ....

barco (el) ....

barón (el) ....

batalla (la) ....

bendición (la) ....

besar ....

beso (el) ....

bocado (el) ....

boda (la) ....

bolsa (la) ....

bosque (el) ....

brazo (el) ....

burla (la) ....

burlarse ....

buscar ....

cabalgar ....

caballero (el) ....

caer ....

callar ....

cambiar ....

cambio (el) ....

camello (el) ....

camino (el) ....

camisa (la) ....

campamento (el) ....

campana (la) ....

campo (el) ....

cansado, a ....

cansar ....

cara (la) ....

cargar ....

carta (la) ....

casamiento (el) ....

casar(se) ....

casco (el) ....

caso (el) ....

castigo (el) ....

castillo (el) ....

cautivo, a ....

ceñir ....

cercado, a ....

cercano, a ....

cercar ....

cinta (la) ....

cintura (la) ....

cita (la) ....

clavo (el) ....

combate (el) ....

comenzar ....

conde (el) ....

conocedor, -a ....

conocer ....

conquistar ....

conseguir ....

contento, a ....

continuar ....

corral (el) ....

cortar ....

corte (el) ....

corte (la) ....

Cortes (las) ....

costa (la) ....

crecer ....

crecido, a ....

creer ....

criado, a (el, la) ....

cristiano, a ....

cubrir ....

cuello (el) ....

cuidar ....

cumplir ....

dama (la) ....

decisión (la) ....

dejar ....

deprisa ....

desatar ....

descabalgar ....

descansar ....

deseo (el) ....

deshonra (la) ....

deshonrar ....

deslealtad (la) ....

desnudar ....

desnudo, a ....

despedida (la) ....

despedir ....

destierro (el) ....

devolver ....

dorado, a ....

duda (la) ....

durar ....

duro, a ....

ejército (el) ....

elegante ....

empeñar ....

emperador, -atriz (el, la) ....

encontrar ....

encuentro (el) ....

enemigo, a (el, la) ....

ensangrentado, a ....

ensillado, a ....

entregar ....

escapar ....

escarmentar ....

escarnecido, a ....

escarnio (el) ....

esconder ....

escudero (el) ....

escudo (el) ....

esforzarse ....

espada (la) ....

espeso, a ....

esposa (la) ....

espuela (la) ....

faltar ....

felicidad (la) ....

feliz ....

fiera (la) ....

fila (la) ....

fin (el) ....

final (el) ....

firme ....

fuera ....

fuerte ....

fuertemente ....

fuerza (la) ....

furioso, a ....

gana (la) ....

ganancia (la) ....

ganar ....

gente (la) ....

golpe (el) ....

golpear ....

gritar ....

grito (el) ....

guardar ....

guerra (la) ....

hambre (el) ....

herido, a ....

herir ....

hermoso, a ....

hilo (el) ....

hombro (el) ....

honra (la) ....

huerta (la) ....

huir ....

infante (el) ....

infanzón (el) ....

intentar ....

interés (el) ....

interesar ....

ira (la) ....

jamás ....

judío, a ....

juicio (el) ....

juntar ....

justicia (la) ....

lado (el) ....

lágrima (la) ....

lanza (la) ....

leal ....

león (el) ....

libertad (la) ....

libre ....

llenar ....

lleno, a ....

lograr ....

loriga (la) ....

luchador, -a (el, la) ....

luchar ....

mal (el) ....

mandar ....

manera (la) ....

manto (el) ....

maravillado, a ....

maravillar ....

marchar ....

marido (el) ....

matar ....

mayor ....

mejor ....

menos ....

mensaje (el) ....

mentir ....

mentiroso, a ....

merecer ....

meter ....

miedo (el) ....

misa (la) ....

mojón (el) ....

monasterio (el) ....

moneda (la) ....

montar ....

monte (el) ....

morir ....

mostrar ....

muerte (la) ....

mulo, a (el, la) ....

negar ....

negocio (el) ....

nube (la) ....

obispado (el) ....

obispo (el) ....

obligar ....

ocurrir ....

olvidar ....

oración (la) ....

orgulloso, a ....

oro (el) ....

padrino (el) ....

pagar ....

pariente (el) ....

parte (la) ....

partir ....

pasar ....

paz (la) ....

pecho (el) ....

pegar ....

pelea (la) ....

pelear ....

pena (la) ....

perdedor, -a (el, la) ....

perder ....

perdón (el) ....

perdonar ....

pesado, a ....

pesar ....

piel (la) ....

plata (la) ....

plazo (el) ....

posada (la) ....

premio (el) ....

preocupar ....

preparado, a ....

preparar ....

presentar ....

primo, a (el, la) ....

principio (el) ....

prisa (la) ....

prohibir ....

pronto ....

propio, a ....

proteger ....

pueblo (el) ....

quedarse ....

quejarse ....

quitar ....

quizá(s) ....

rama (la) ....

rápidamente ....

rato (el) ....

razón (la) ....

realidad (la) ....

realmente ....

recibir ....

recoger ....

regalar ....

reino (el) ....

reír ....

relumbrar ....

repartir ....

resto (el) ....

retar ....

reto (el) ....

reunir ....

rey, reina (el, la) ....

rezar ....

río (el) ....

riqueza (la) ....

risa (la) ....

robledo (el) ....

rodilla (la) ....

rogar ....

romper ....

ruego (el) ....

saber ....

sabio, a (el, la) ....

sacar ....

sala (la) ....

salvaje ....

salvar ....

sangrar ....

sangre (la) ....

sangriento, a ....

santiguar ....

secreto (el) ....

seda (la) ....

seguro, a ....

sentarse ....

separar ....

servicio (el) ....

servir ....

sitio (el) ....

sobrino, a (el, la) ....

soldado (el) ....

solucionar ....

sombrero (el) ....

sonreír ....

sudoroso, a ....

suelo (el) ....

sueño (el) ....

suerte (la) ....

suficiente ....

tal vez ....

tambor (el) ....

tapar ....

tardar ....

tarde ....

testigo (el, la) ....

tiempo (el) ....

tienda (la) ....

tierra (la) ....

tijera (la) ....

tirar ....

todavía ....

tomar ....

total (el) ....

traer ....

traición (la) ....

traidor, -a ....

traje (el) ....

tranquilamente ....

tranquilo, a ....

tristeza (la) ....

último, a ....

único, a ....

unir ....

usar ....

valentía (la) ....

valer ....

valiente ....

valor (el) ....

vasallo (el) ....

velar ....

vencedor, -a ....

vencer ....

vengado, a ....

vengar ....

ver ....

vergüenza (la) ....

vestido (el) ....

vez (la) ....

victoria (la) ....

vida (la) ....

vino (el) ....

vista (la) ....

vivir ....

volver ....

vuelta (la) ....

yelmo (el) ....

yerno (el).................................

Títulos de la colección

Nivel A2

El Lazarillo de Tormes. *Anónimo.*
La gitanilla. *Miguel de Cervantes.*
Fuenteovejuna. *Lope de Vega.*
Don Juan Tenorio. *José Zorrilla.*
El estudiante de Salamanca. *José de Espronceda.*
Sangre y arena. *Vicente Blasco Ibáñez.*

Nivel B1

Cantar de Mío Cid. *Anónimo.*
La Celestina. *Fernando de Rojas.*
La vida es sueño. *Calderón de la Barca.*
La Regenta. *Leopoldo Alas «Clarín».*

Nivel B2

Don Quijote de la Mancha I. *Miguel de Cervantes.*
Don Quijote de la Mancha II. *Miguel de Cervantes.*